A-Z PLYMOUTH

Key to Maps

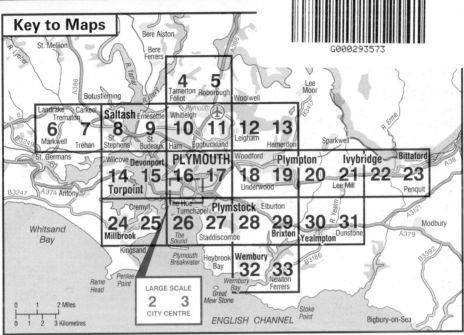

Reference

A Road	A38
B Road	B3214
Dual Carriageway	
One - way Street	➡
Traffic flow on A roads is indicated by a heavy line on the driver's left.	
All one - way streets are shown on Large Scale Pages 2-3	➡
Restricted Access	
Pedestrianized Road	
Track & Footpath	
Residential Walkway	
Railway	Station / Tunnel / Level Crossing

Built - up Area	BOND ST.
Local Authority Boundary	— · —
National Park Boundary	
Postcode Boundary	— — —
Map Continuation	16 Large Scale Centre 2
Car Park Selected	P
Church or Chapel	†
Cycle Route Selected	
Fire Station	■
Hospital	H
Information Centre	i

National Grid Reference	250
Police Station	▲
Post Office	★
Toilet	▽
with facilities for the Disabled	🚻
Educational Establishment	
Hospital or Hospice	
Industrial Building	
Leisure or Recreational Facility	
Place of Interest	
Public Building	
Shopping Centre or Market	
Other Selected Buildings	

Scale

Map Pages 4-33
1:19,000 3⅓ inches (8.47 cm) to 1 mile
5.26 cm to 1 kilometre

0	¼	½ Mile
0	250	500	750 Metres

Map Pages 2-3
1:9,500 6⅔ inches (16.94 cm) to 1 mile
10.52 cm to 1 kilometre

0	⅛	¼ Mile
0	100	200	300	400 Metres

Geographers' A-Z Map Company Limited

Head Office :
Fairfield Road, Borough Green, Sevenoaks, Kent TN15 8PP
Tel: 01732 781000 (General Enquiries & Trade Sales)

Showrooms :
44 Gray's Inn Road, London WC1X 8HX
Tel: 020 7440 9500 (Retail Sales)   www.a-zmaps.co.uk

This map is based upon Ordnance Survey mapping with the permission of The Controller of Her Majesty's Stationery Office.
© Crown Copyright licence number 399000. All rights reserved.

EDITION 3 2000
Copyright © Geographers' A-Z Map Co. Ltd. 2000

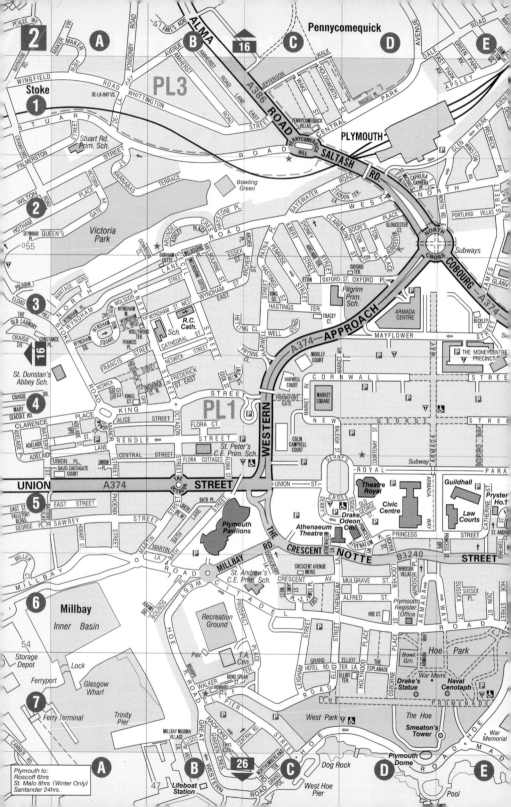

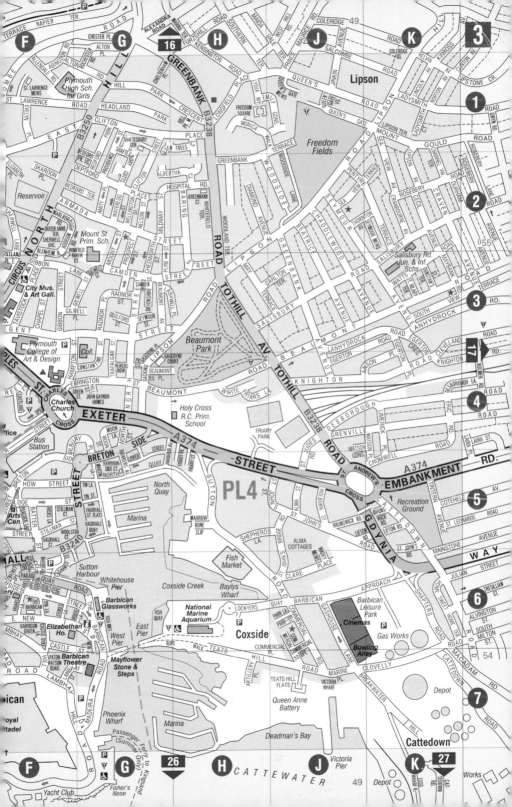

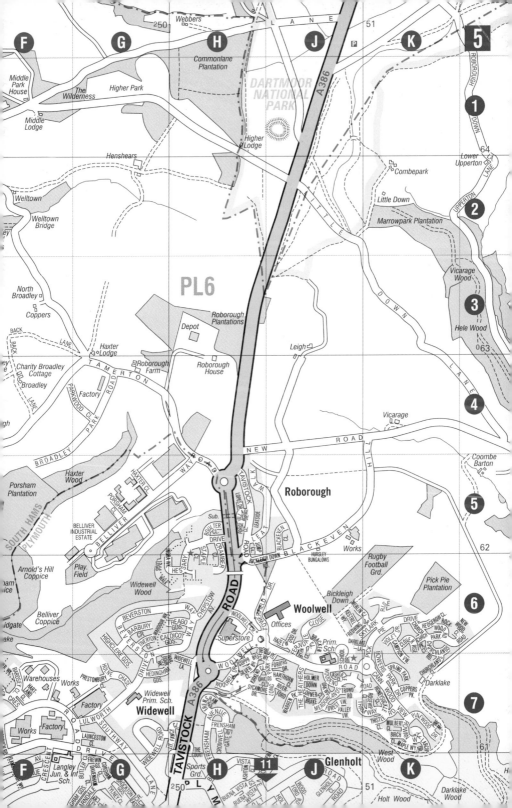

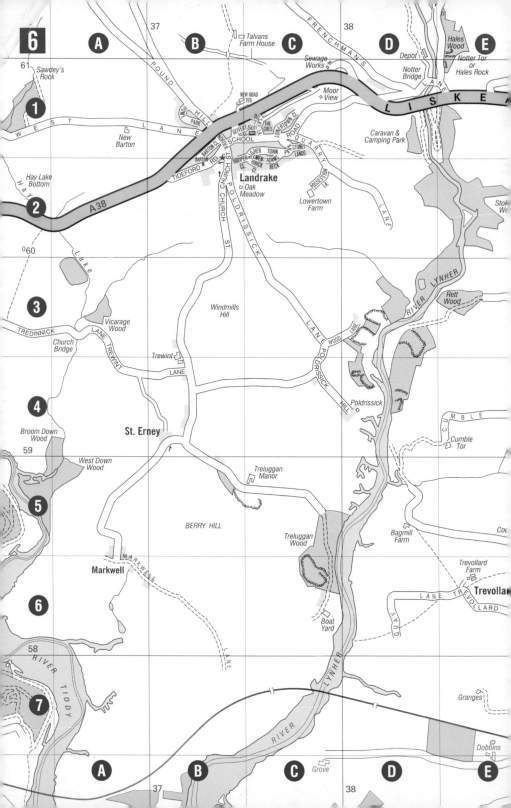

6

Talvans Farm House

Hales Wood

Depot

Notter Tor or Hales Rock

61 Sawdey's Rock

Sewage Works

Notter Bridge

1

POUND HILL

Moor View

LISKEA

New Barton

WEST LANE

New Barton

PARK HILL PARK

NEW ROAD TER.

THE CRES.

LOWERTOWN CL.

Caravan & Camping Park

BARTON CL.

BARTON RD.

GEFERT'S Sch.

Sch.

HOOPER CL. CL.

SHER LANDS

TOWN HINICK CL.

CLEMEN ADKINS

ROAD

QUARRY

TIDEFORD

Landrake

STONEY LANDS

Hay Lake Bottom

A38

Oak Meadow

POSSESSION LA.

Lowertown Farm

2

Hayle Lake

060

Stoke Wo

RIVER LYNHER

3

Windmills Hill

Rett Wood

TREDINNICK

Vicarage Wood

LANE TREWINT

LANE WOOD

Church Bridge

Trewint

LANE

POLDRISSICK

Poldrissick

4

St. Erney

HILL

CUMBLE

Broom Down Wood

Cumble Tor

59

West Down Wood

Treluggan Manor

5

BERRY HILL

Treluggan Wood

Bagmill Farm

Trevollard Farm

6

MARKWELL

Markwell

Boat Yard

QUAY LANE TREVOLLARD

Trevolla

58

RIVER TIDDY

MARKWELL LANE

RIVER LYNHER

7

Granges

Dobbins

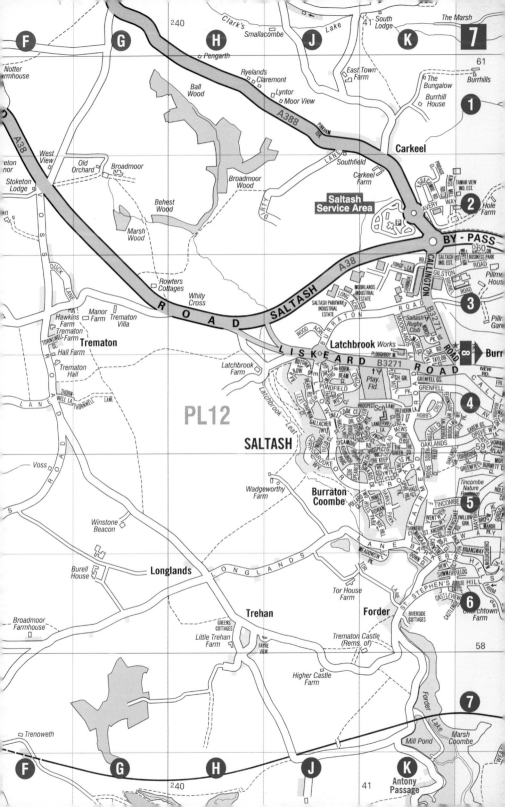

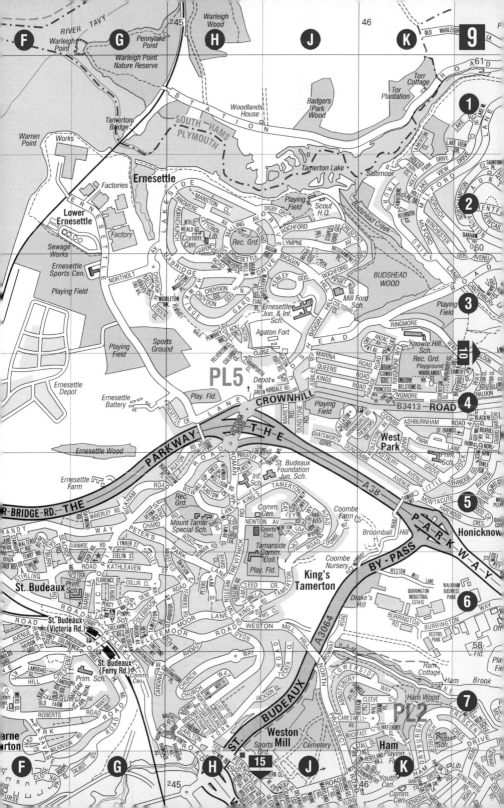

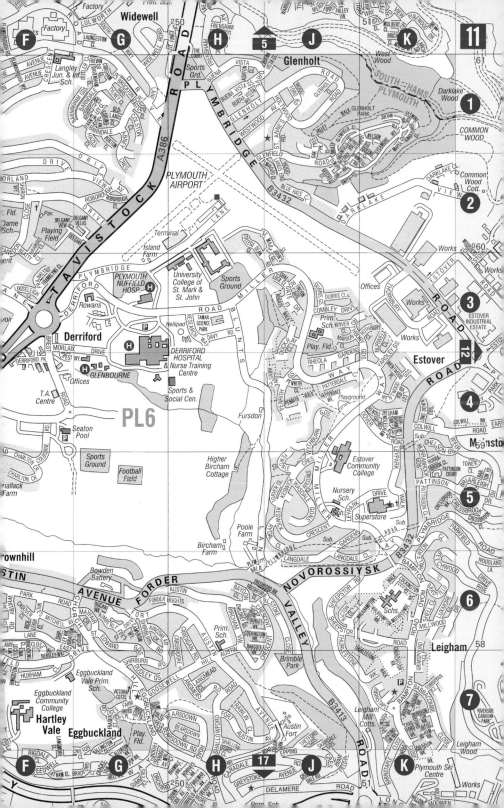

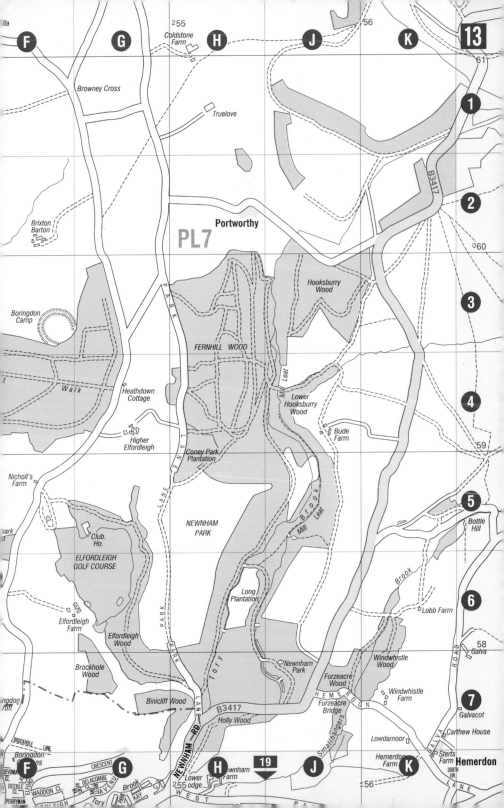

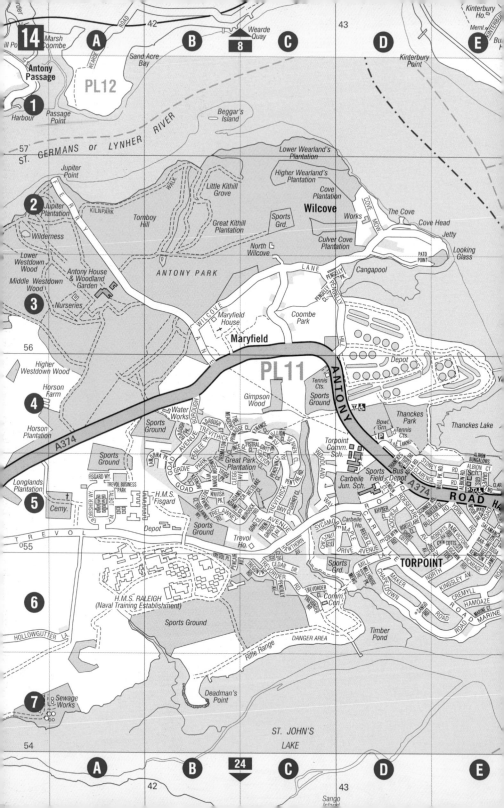

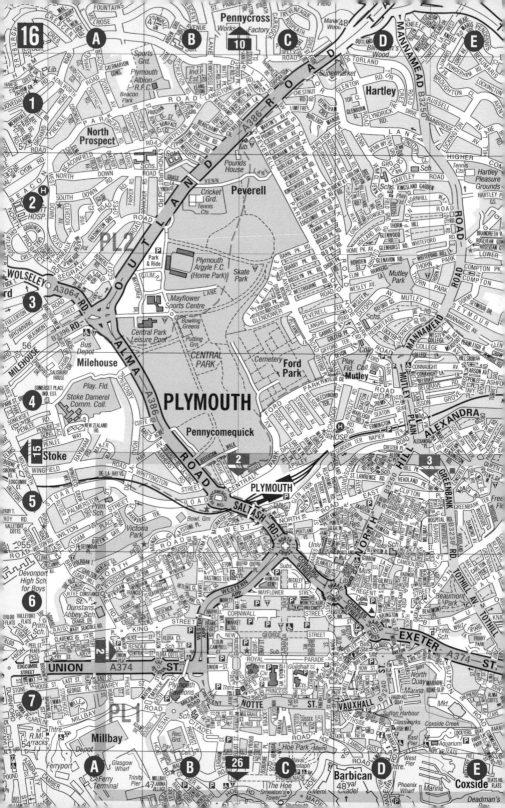

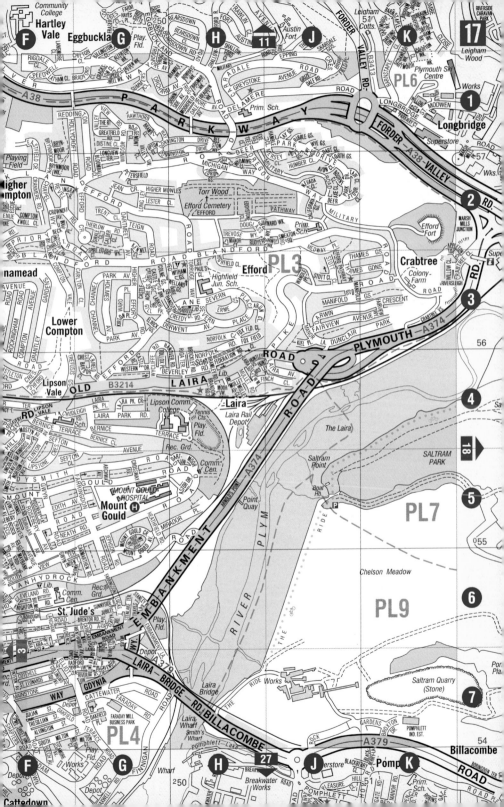

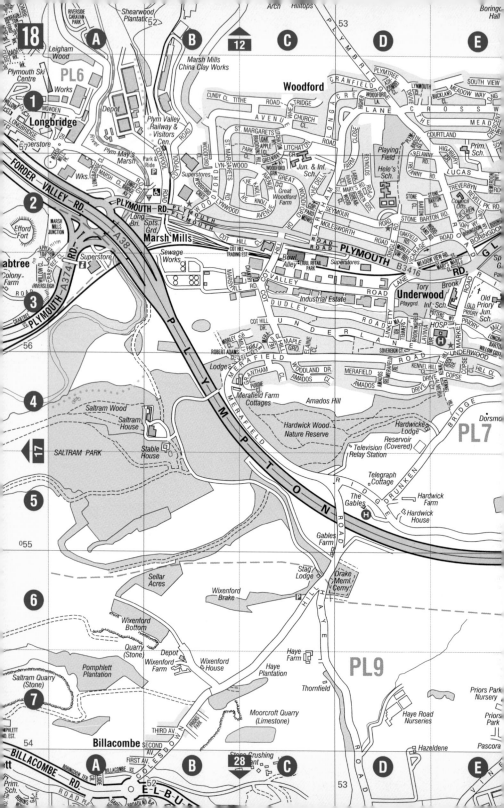

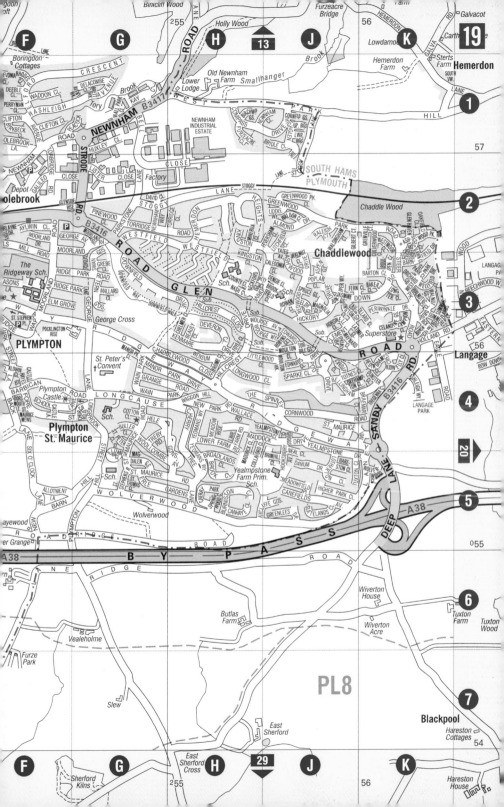

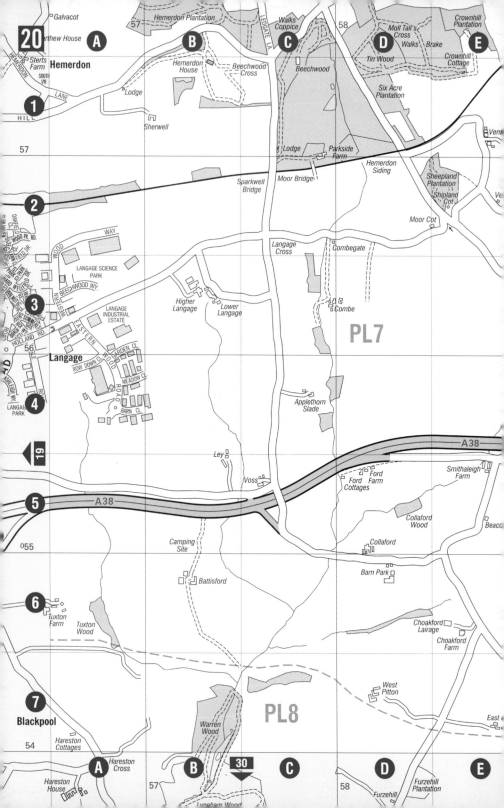

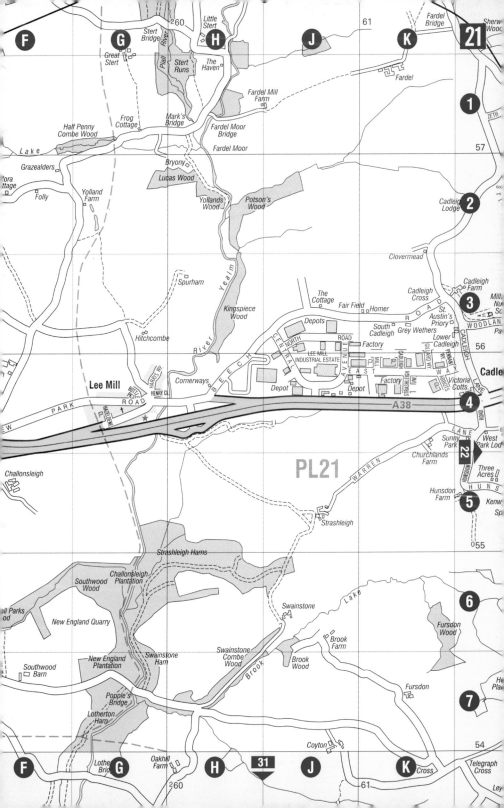

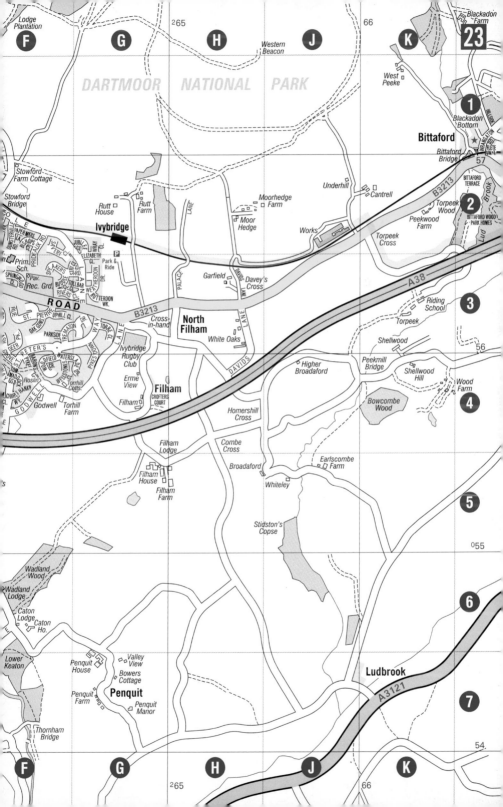

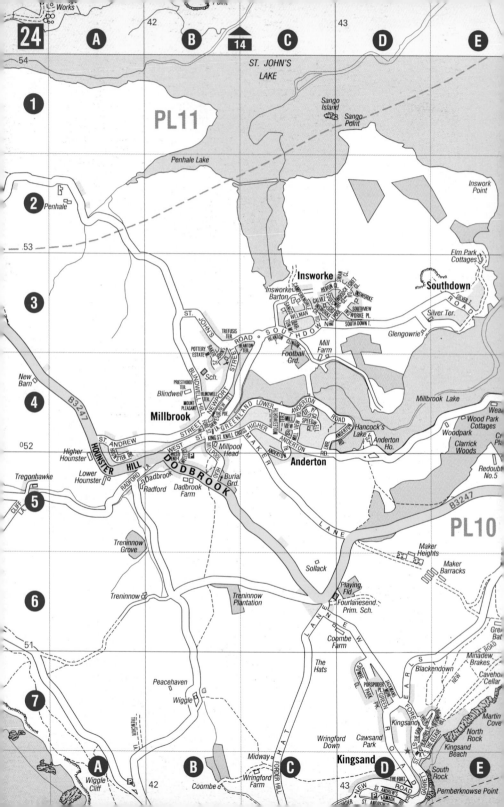

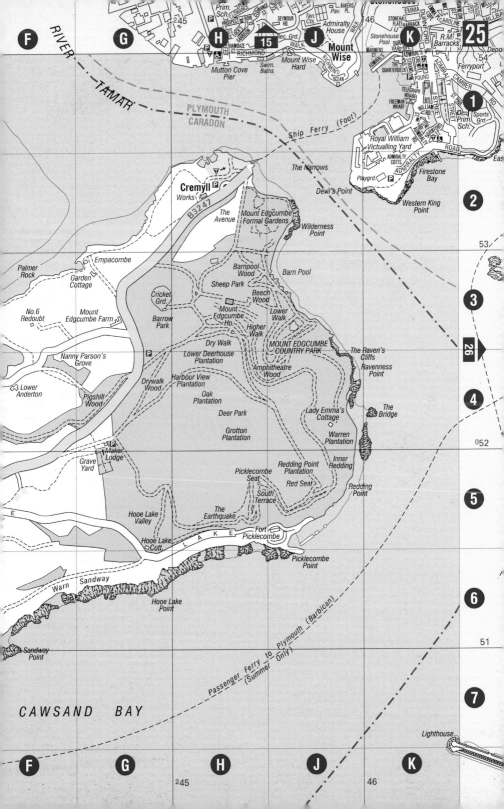

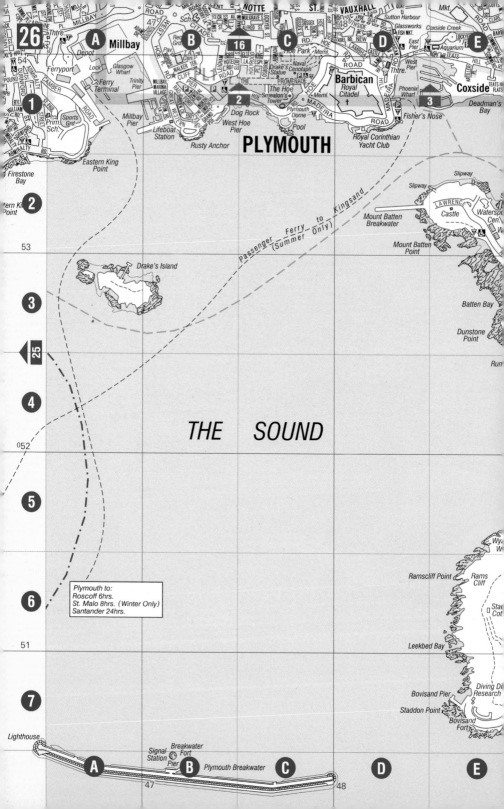

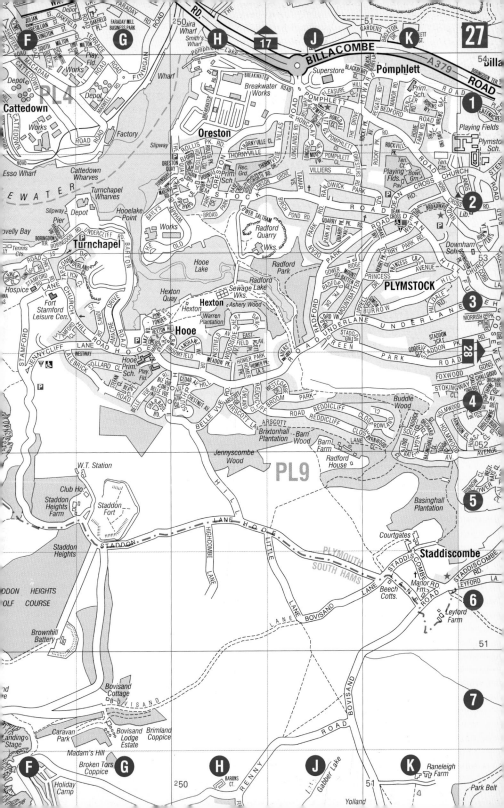

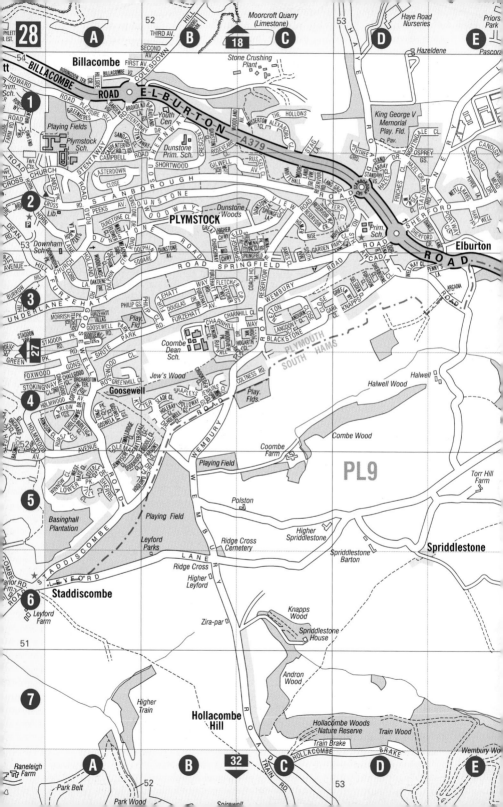

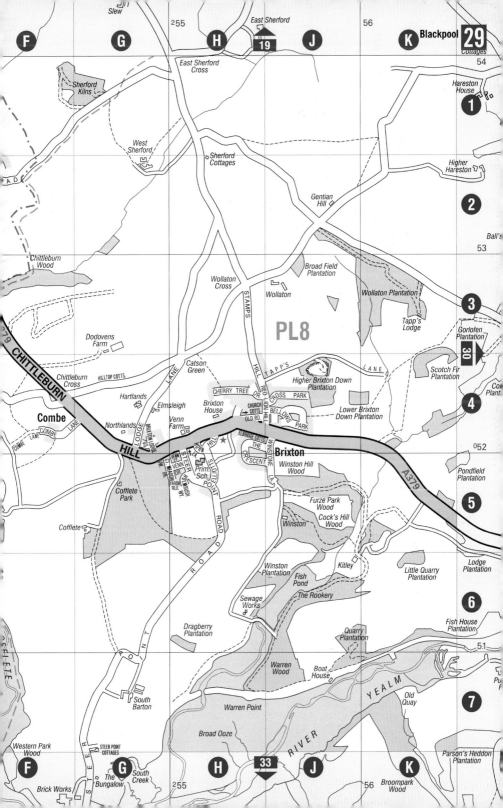

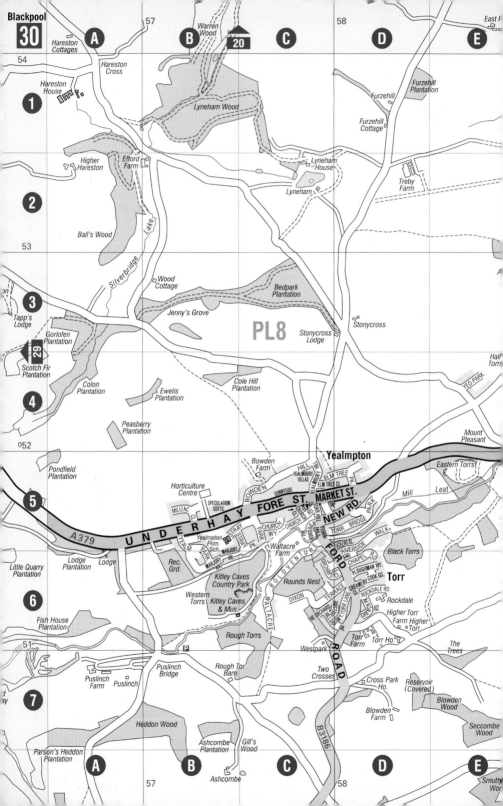

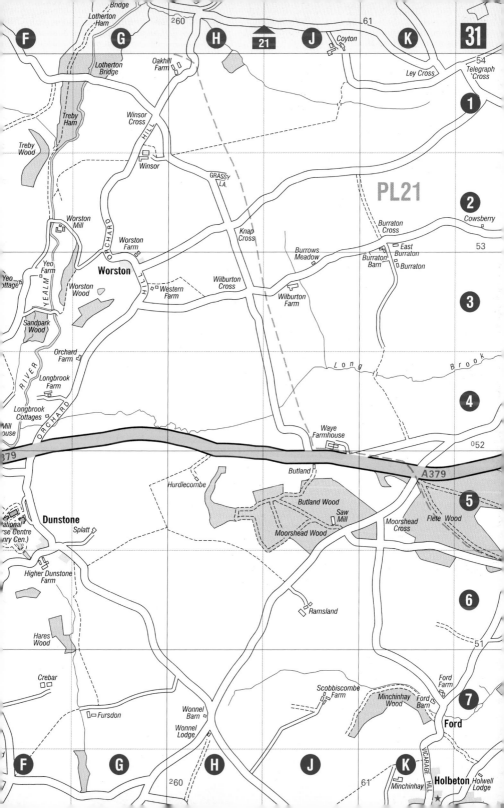

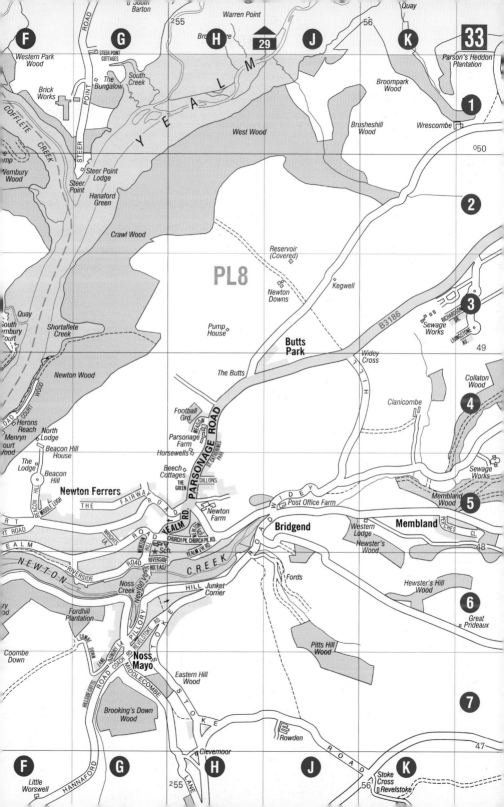

F G H J K

South Barton
Warren Point
255
Quay
29
Parson's Heddon Plantation

Western Park Wood
Steer Point Cottages
Bro...re
1

Brick Works
The Bungalow
South Creek
Broompark Wood

Steer Point Lodge
West Wood
Brusheshill Wood
Wrescombe

Y E A L M

050

COFFLETE CREEK
Steer Point
Hanaford Green
2

...mbury Wood
Crawl Wood
Reservoir (Covered)

South ...mbury ...ort
Quay
Shortaflete Creek
PL8
Newton Downs
Kegwell
3
Sewage Works
RICHARDSON DR.
LIVINGSTONE AV.
49

Newton Wood
Pump House
Butts Park
Widey Cross
Clanicombe
Collaton Wood
4

Herons Reach
North Lodge
COURT WOOD
The Butts
Football Grd.
PARSONAGE ROAD
MEADOW
ST CATHERINES PARK

Menryn ...rt Wood
Beacon Hill House
Parsonage Farm
Horsewells
Sewage Works
Membland Wood
5

The Lodge
Beacon Hill
Beech Cottages
THE GREEN
DILLONS
Post Office Farm
WIDEY
Western Lodge
Membland
PERCHES
CL.

Newton Ferrers
THE FAIRWAY
Newton Farm
ROAD
Bridgend
Hewster's Wood
48

MIDDLE LEIGH
BEACON HILL
WRIGHTS LA.
YELM
CHURCH PK.
CHURCH PK. RD.
Sch.
RIVERSIDE
YELM VW. RD.
CREEK
ROAD
Fords
Hewster's Hill Wood
6

...RT ROAD
E A L M
N E W T O N
Noss Creek
Newton Voss
RIVERSIDE
ROAD RD. EAST
HILL
Junket Corner

Fordhill Plantation
COMBE
PILLORY
STOKE
Pitts Hill Wood
Great Prideaux

Coombe Down
SUNDAY LA.
COACH ROAD
REVELSTOKE RD.
Noss Mayo
Eastern Hill Wood
7

...ry ...od
HILLSIDE COTTS.
LANE
DOWN
MIDDLECOMBE
Brooking's Down Wood
Rowden
47

F G H J K

Little Worswell
HANNAFORD
255
LANE
Clevenoor
56
Stoke Cross
Revelstoke

INDEX

Including Streets, Industrial Estates, Selected Subsidiary Addresses
and Selected Places of Interest.

HOW TO USE THIS INDEX

1. Each street name is followed by its Posttown or Postal Locality and then by its map reference; e.g. Abbot Rd. *Ivy* —2B **22** is in the Ivybridge Posttown and is to be found in square 2B on page **22**. The page number being shown in bold type.
   A strict alphabetical order is followed in which Av., Rd., St., etc. (though abbreviated) are read in full and as part of the street name; e.g. Beaconfield Rd. appears after Beacon Down Av. but before Beacon Hill.

2. Streets and a selection of Subsidiary names not shown on the Maps, appear in the index in *Italics* with the thoroughfare to which it is connected shown in brackets; e.g. *Alexandra Rd. Crown* —5E **10** (off Morshead Rd.)

3. An example of a selected place of interest is **Antony House.** —3A **14**

4. Map references shown in brackets; e.g. Abbey Pl. *Plym* —7C **16** (5E **2**) refer to entries that also appear on the large scale pages 2 & 3.

GENERAL ABBREVIATIONS

All : Alley
App : Approach
Arc : Arcade
Av : Avenue
Bk : Back
Boulevd : Boulevard
Bri : Bridge
B'way : Broadway
Bldgs : Buildings
Bus : Business
Cvn : Caravan
Cen : Centre
Chu : Church
Chyd : Churchyard
Circ : Circle
Cir : Circus
Clo : Close
Comn : Common
Cotts : Cottages

Ct : Court
Cres : Crescent
Cft : Croft
Dri : Drive
E : East
Embkmt : Embankment
Est : Estate
Fld : Field
Gdns : Gardens
Gth : Garth
Ga : Gate
Gt : Great
Grn : Green
Gro : Grove
Ho : House
Ind : Industrial
Info : Information
Junct : Junction
La : Lane

Lit : Little
Lwr : Lower
Mc : Mac
Mnr : Manor
Mans : Mansions
Mkt : Market
Mdw : Meadow
M : Mews
Mt : Mount
Mus : Museum
N : North
Pal : Palace
Pde : Parade
Pk : Park
Pas : Passage
Pl : Place
Quad : Quadrant
Res : Residential
Ri : Rise

Rd : Road
Shop : Shopping
S : South
Sq : Square
Sta : Station
St : Street
Ter : Terrace
Trad : Trading
Up : Upper
Va : Vale
Vw : View
Vs : Villas
Vis : Visitors
Wlk : Walk
W : West
Yd : Yard

POSTTOWN AND POSTAL LOCALITY ABBREVIATIONS

Bea P : Beacon Park
Bere F : Bere Ferrers
Bill : Billacombe
Bitt : Bittaford
Brix : Brixton
Bur : Burraton
Bur C : Burraton Coombe
Cam H : Camels Head
Cark : Carkeel
Catt : Cattedown
Caw : Cawsand
Chad : Chaddlewood
Cox : Coxside
Crab : Crabtree
Crown : Crownhill
Derr : Derriford
Dev : Devonport
Down T : Down Thomas
Eff : Efford
Egg : Eggbuckland
Elb : Elburton
Erm : Ermington

Est : Estover
Fil : Filham
Ford : Ford
G'bnk : Greenbank
Hart : Hartley
Hem : Hemerdon
Hess : Hessenford
High B : Higher St Budeaux
Holb : Holbeton
Hon : Honicknowle
Honc : Honcray
Hooe : Hooe
Ivy : Ivybridge
Key : Keyham
Laira : Laira
Latch : Latchbrook
Ldrke : Landrake
Lee B : Lee Mill Bridge
Lee I : Lee Mill Industrial Estate
Lee M : Lee Moor
Lip : Lipson
Lut : Lutton

Lwr B : Lower Burraton
Lwr C : Lower Compton
Mann : Mannamead
Mar M : Marsh Mills
Mid P : Middle Pill
Mill : Millbrook
Mor T : Morice Town
Mt Bat : Mount Batten
Mut : Mutley
N Pros : North Prospect
New F : Newton Ferrers
Noss M : Noss Mayo
Ore : Oreston
Penny : Pennycross
Pev : Peverell
Plym : Plymouth
Plymp : Plympton
Plyms : Plymstock
Pom : Pomphlett
Prin R : Prince Rock
Rob : Roborough
Salt : Saltash

St Bud : St Budeaux
St Dom : St Dominick
St Ger : St Germans
St Jud : St Judes
St Ste : St Stephens
Stad : Staddiscombe
Stoke : Stoke
Stone : Stonehouse
Tam F : Tamerton Foliot
Tide : Tideford
Tor : Torpoint
Treh : Trehan
Trem : Trematon
Turn : Turnchapel
Ugb : Ugborough
Wem : Wembury
West M : Weston Mill
Whit : Whitleigh
Wil : Wilcove
Wood : Woodlands
Wool : Woolwell
Yeal : Yealmpton

INDEX

Abbey Ct. *Plym* —5F **3**
Abbey Pl. *Plym* —7C **16** (5E **2**)
Abbot Rd. *Ivy* —2B **22**
Abbotsbury Way. *Plym* —7J **9**
Abbots Clo. *Lee I* —4K **21**
Abbotts Rd. *Plym* —3D **16**
Abingdon Rd. *Plym* —5D **16** (1F **3**)
Abney Cres. *Plym* —1G **11**
Acklington Pl. *Plym* —3H **9**
Acland Rd. *Ivy* —2B **22**
Acre Cotts. *Plym* —5J **15**
Acre Pl. *Plym* —5J **15**

Adams Beck. *Ldrke* —2C **6**
Adams Clo. *Plym* —6H **9**
Adams Clo. *Tor* —5B **14**
Adams Cres. *Tor* —5B **14**
Adam's La. *Wem* —2A **32**
Addison Rd. *Plym* —5D **16** (2F **3**)
Adelaide La. *Plym* —7A **16** (5A **2**)
Adelaide Pl. *Plym* —6A **16** (4A **2**)
Adelaide St. *Ford* —3J **15**
Adelaide St. *Plym* —6A **16** (4A **2**)
Adelaide St. Ope. *Plym* —4A **2**
Adelaide Ter. *Plym* —2C **2**

Adela Rd. *Tor* —5D **14**
Adit La. *Salt* —4B **8**
Admiral's Hard. *Plym* —1K **25**
(in two parts)
Admiralty Cotts. *Plym* —2K **25**
Admiralty Ope N. *Key* —2H **15**
Admiralty Ope S. *Key* —2H **15**
Admiralty Rd. *Plym* —1K **25**
(PL1)
Admiralty Rd. *Plym* —5F **9**
(PL5)
Admiralty St. *Key* —2H **15**

Admiralty St. *Stone* —1K **25**
Agaton Fort Rd. *Plym* —4J **9**
Agaton Rd. *Plym* —5H **9**
Ainslie Ter. *Plym* —1H **15**
Aire Gdns. *Plym* —3H **17**
Alamein Ct. *Salt* —5A **8**
Alamein Rd. *Salt* —5A **8**
Albany St. *Plym* —6H **15**
Albemarle Vs. *Plym* —5J **15**
Albertha Clo. *Plym* —5E **16** (2G **3**)
Albert Rd. *Plym* —5H **15**
Albert Rd. *Salt* —5C **8**

Albion Bungalows. *Tor* —5E **14**
Albion Ct. *Tor* —5E **14**
Albion Rd. *Tor* —5E **14**
Alcester Clo. *Plym* —4H **15**
Alcester St. *Plym* —4J **15**
Alden Wlk. *Plym* —1G **17**
Alderney Rd. *Plym* —7E **4**
Aldersley Wlk. *Plym* —6F **11**
Aldwin Clo. *Plym* —4F **19**
Alexandra Clo. *Plym* —1C **28**
Alexandra Rd. *Plym* —4D **16**
Alexandra Rd. Crown —5E **10**
  (off Morshead Rd.)
Alexandra Rd. *Ford* —3J **15**
Alexandra Rd. *Mut* —4E **16** (1G **3**)
Alexandra Sq. Salt —5D **8**
  (off Albert Rd.)
Alexandra Ter. *Ford* —3J **15**
Alfred Pl. *Ford* —3J **15**
Alfred Rd. *Plym* —3J **15**
Alfred St. *Plym* —7C **16** (6D **2**)
Alger Wlk. *Plym* —1D **10**
Alice St. *Plym* —6A **16** (4A **2**)
Allenby Rd. *Plym* —2K **15**
Allendale Rd. *Plym* —5D **16** (1F **3**)
Allens Rd. *Ivy* —2E **22**
Allerton Wlk. *Plym* —1G **17**
Alleyn Gdns. *Plym* —7D **10**
Allotment La. *Plymp* —5F **19**
Alma Cotts. *Plym* —7E **16** (5J **3**)
Alma Rd. *Plym* —3A **16** (1B **2**)
Alma St. *Plym* —7E **16** (5J **3**)
Almeria Ct. *Plym* —4E **18**
Almond Dri. *Plym* —2J **19**
Alpine Clo. *Plym* —1J **11**
Alton Pl. *Plym* —5D **16** (1G **3**)
Alton Rd. *Plym* —5D **16** (1F **3**)
Alvington St. *Plym* —7F **17** (6K **3**)
Alwin Pk. *Plym* —2F **11**
Amacre Dri. *Plym* —3G **27**
Amados Clo. *Plym* —4C **18**
Amados Dri. *Plym* —4D **18**
Amados Ri. *Plym* —4D **18**
Amherst Rd. *Plym* —5B **16** (1B **2**)
Amherst Rd. La. E. *Plym*
  —5B **16** (1B **2**)
Amity Pl. *Plym* —5D **16** (2G **3**)
Anderton Ri. *Mill* —4C **24**
Andurn Clo. *Plym* —3C **28**
Ann's Pl. *Plym* —4K **15**
Anson Pl. *St Jud* —6F **17** (4K **3**)
Anson Pl. *Stoke* —4J **15**
Anstis St. *Plym* —6A **16** (3A **2**)
  (in two parts)
Antony Gdns. *Plym* —7B **10**
Antony House. —3A **14**
Antony Rd. *Tor* —4D **14**
Anzac Av. *Plym* —3K **9**
Appleby Wlk. *Plym* —3C **10**
Appleton Tor Clo. *Plym* —2K **17**
Apsley Rd. *Plym* —5C **16** (1E **2**)
Arbour, The. *Plym* —2D **10**
Arcadia. *Plyms* —3E **28**
Arcadia Rd. *Plym* —3D **28**
Archer Pl. *Plym* —5B **16** (2C **2**)
Archer Ter. *Plym* —6B **16** (3C **2**)
Archway Av. *Plym* —5G **17**
Arden Gro. *Plym* —7B **10**
Ark Royal Clo. *Plym* —7G **9**
Arley Clo. *Plym* —1G **11**
Arlington Rd. *Plym* —4E **16**
Armada Cen. *Plym* —6C **16** (3D **2**)
Armada St. *Plym* —5D **16** (2F **3**)
Armada Way. *Plym* —6C **16** (5D **2**)
  (in three parts)
Arnison Clo. *Plym* —4K **27**
Arnold's Point. *Plym* —5H **17**
Arnside Clo. *Plym* —4J **11**
Arscott Gdns. *Plym* —4H **27**
Arscott La. *Plym* —4H **27**

Arthur Ter. *Tor* —5E **14**
Artillery Pl. *Plym* —1E **26** (7H **3**)
Arun Clo. *Plym* —3H **17**
Arundel Cres. *Plym* —5B **16** (2B **2**)
Arundel Ter. Plym —4J 15
  (off Victoria Pl.)
Ashburgh Parc. *Latch* —4J **7**
Ashburnham Rd. *Plym* —4K **9**
Ashcombe Clo. *Plym* —1D **18**
Ashdown Clo. *Plym* —4K **11**
Ashdown Wlk. *Plym* —4K **11**
Ashery Dri. *Plym* —3H **27**
Ashford Clo. *Plym* —4F **17**
Ashford Cres. *Plym* —4F **17**
Ashford Hill. *Plym* —4F **17**
Ashford Rd. *Plym* —4E **16**
Ash Gro. *Ivy* —3F **23**
Ash Gro. *Plym* —1J **15**
Ashleigh Clo. *Tam F* —7B **4**
Ashleigh La. *Plym* —4C **4**
Ashleigh Way. *Plymp* —4K **19**
Ashley Pl. *Plym* —2B **2**
Ashridge Gdns. *Plym* —5A **10**
Ashton Clo. *Plym* —1H **11**
Ashtree Clo. *Plym* —7J **5**
Ashtree Gro. *Plym* —1D **28**
Ashwood Clo. *Plym* —3J **19**
Ashwood Pk. Rd. *Plym* —2K **19**
Aspen Gdns. *Plym* —3J **19**
Astor Dri. *Plym* —5H **17**
Athenaeum La. *Plym*
  (in two parts) —7B **16** (6C **2**)
Athenaeum Pl. *Plym*
  —7C **16** (5D **2**)
Atherton Pl. Plym —4H 15
  (off Charlotte St.)
Auckland Rd. *Plym* —3K **15**
Austin Av. *Plym* —2K **15**
Austin Cres. *Plym* —7H **11**
Avent Wlk. *Plym* —1G **19**
Avery Way. *Salt* —2K **7**
Avon Clo. *Plym* —2J **17**
Avondale Ter. *Key* —3H **15**
Axe Clo. *Plym* —2J **17**
Aycliffe Gdns. *Plym* —5H **19**
Aylesbury Cres. *Plym* —2A **10**
Aylwin Clo. *Plymp* —2F **19**
Ayreville Rd. *Plym* —1A **16**

Babbacombe Clo. *Plym* —7K **11**
Babis Farm Clo. *Salt* —6C **8**
Babis Farm Ct. *Salt* —6C **8**
  (in two parts)
Babis Farm M. *Salt* —5C **8**
Babis Farm Row. *Salt* —5C **8**
Babis Farm Way. *Salt* —6C **8**
Babis La. *Salt* —6C **8**
  (in two parts)
Back Hill. *Salt* —5K **7**
Back La. *Plymp* —4F **19**
Back La. *Rob* —3F **5**
Badgers Clo. *Ivy* —3B **22**
Bainbridge Av. *Plym* —1E **16**
Bainbridge Ct. *Plym* —1F **19**
Bakers Clo. *Plym* —3K **19**
Bakers Pl. *Plym* —7J **15**
Balfour Ter. *Plym* —4H **15**
Balmoral Av. *Plym* —3J **15**
Bampfylde Way. *Plym* —1C **10**
Bampton Rd. *Plym* —6K **11**
Barbican App. *Plym* —7E **16** (6J **3**)
Barbican Ct. *Plym* —6F **3**
Barbican Glassworks.
  —7D **16** (6G **3**)
Barbican Rd. *Plym* —4F **19**
Barbican, The. *Plym*
  (in two parts) —7D **16** (6G **3**)
Barbury Cres. *Plym* —6G **5**
Barcote Wlk. *Plym* —6H **11**
Bardsey Clo. *Plym* —7F **5**
Baring St. *Plym* —5E **16** (2H **3**)

Barker's Hill. *Bur C* —5K **7**
Barn Clo. *Plymp* —4A **20**
Barn Clo. *Wood* —2B **22**
Barndale Cres. *Plym* —1G **11**
Barne Clo. *Plym* —7F **9**
Barne La. *Plym* —6G **9**
Barne Rd. *Plym* —7F **9**
Barnfield Dri. *Plym* —3K **19**
Barningham Gdns. *Plym* —1F **11**
Barn Pk. *Salt* —4C **8**
Barn Pk. Cotts. Plym —1J 27
  (off Millway Pl.)
Barn Pk. Rd. *Plym* —3C **16**
Barnstaple Clo. *Plym* —7K **11**
Barnwood Clo. *Plym* —4K **27**
Barons Ct. *Down T* —7H **27**
Baron's Pyke. *Ivy* —4F **23**
Barossa Pl. *Tor* —6E **14**
Barossa Rd. *Tor* —5E **14**
Barrack Pl. *Plym* —7K **15**
Barrack St. *Plym* —6H **15**
Barrie Gdns. *Plym* —6D **10**
Barrow Down. *Latch* —4J **7**
Bartholomew Rd. *Plym* —3K **15**
Barton Av. *Plym* —3H **15**
Barton Clo. *Ldrke* —1B **6**
Barton Clo. *Plym* —3K **19**
Barton Clo. *Wem* —3C **32**
Barton M. *Ldrke* —2B **6**
Barton M. *Mill* —3C **24**
Barton Rd. *Plym & Turn* —2G **27**
Basinghall Clo. *Plym* —5K **27**
Basket Ope. *Plym* —6F **3**
Bath La. *Plym* —7B **16** (5B **2**)
Bath Pl. *Plym* —5B **2**
Bath Pl. W. *Plym* —5B **2**
Bath St. *Plym* —7B **16** (6B **2**)
Battershall Clo. *Plym* —4A **28**
Batter St. *Plym* —7D **16** (5F **3**)
Battery St. *Plym* —6A **16** (4A **2**)
Battery St. Flats. *Plym*
  —7A **16** (5A **2**)
Baydon Clo. *Plym* —6H **11**
Bayly's Rd. *Plym* —2G **27**
Bayswater Rd. *Plym*
  —5B **16** (2C **2**)
Baytree Clo. *Plym* —2J **11**
Baytree Gdns. *Plym* —1K **15**
Beach Vw. Cres. *Wem* —4B **32**
Beacon Clo. *Ivy* —2D **22**
Beacon Down Av. *Plym* —7A **10**
Beaconfield Rd. *Plym* —2A **16**
Beacon Hill. *New F* —5F **33**
Beacon Pk. Rd. *Plym* —2K **15**
Beacon Rd. *Ivy* —2D **22**
Beare Clo. *Plym* —4G **27**
Bearsdown Clo. *Plym* —7H **11**
Bearsdown Rd. *Plym* —7G **11**
Beatrice Av. *Key* —3H **15**
Beatrice Av. *Lip* —5E **16** (2J **3**)
Beatrice Av. *Salt* —5B **8**
Beatrice Gdns. *Salt* —5B **8**
Beattie Rd. *Plym* —7E **8**
Beatty Clo. *Plym* —2F **11**
Beauchamp Cres. *Plym* —1B **16**
Beauchamp Rd. *Plym* —1B **16**
Beaudyn Wlk. *Plym* —1H **17**
Beauly Clo. *Plym* —3H **19**
Beaumaris Gdns. *Plym* —7E **10**
Beaumaris Rd. *Plym* —1E **16**
Beaumont Av. *Plym*
  —6D **16** (3G **3**)
Beaumont Pl. *Plym* —6D **16** (4G **3**)
Beaumont Rd. *Plym*
  —6E **16** (4G **3**)
Beaumont St. *Plym* —3K **15**
Beaumont Ter. *Mid P* —3C **8**
Beckford Clo. *Plym* —3H **19**
Beckham Pl. *Plym* —2F **17**
Beckley Ct. *Plym* —6C **16** (3E **2**)
Bede Gdns. *Plym* —6B **10**
Bedford Pk. *Plym* —5D **16** (2G **3**)

Bedford Pk. Vs. *Plym*
  —5D **16** (1G **3**)
Bedford Rd. *Plym* —1K **27**
Bedford St. *Plym* —3J **15**
Bedford Ter. *Plym* —5D **16** (2F **3**)
Bedford Way. *Plym* —6C **16** (5E **2**)
Beech Av. *Plym* —1F **27**
Beech Clo. *Tor* —5D **14**
Beech Ct. *Plym* —2J **11**
Beechcroft Rd. *Bea P* —1A **16**
Beechcroft Rd. *Lwr C* —2F **17**
Beechfield Gro. *Plym* —2D **16**
Beech Rd. *Ivy* —4H **21**
Beechwood Av. *Plym*
  —4C **16** (1E **2**)
Beechwood Ri. *Plym* —6K **11**
Beechwood Ter. *Plym* —4C **16**
Beechwood Way. *Plymp* —3A **20**
Beeston Wlk. *Plym* —1H **17**
Belair Rd. *Plym* —1B **16**
Belair Vs. Plym —1B 16
  (off Montpelier Rd.)
Belgrave La. *Plym* —4D **16**
Belgrave Rd. *Plym* —4D **16**
Bellamy Clo. *Plym* —6F **11**
Bell Clo. *Plymp* —1G **19**
Belle Acre Clo. *Plym* —2E **16**
Belle Vue. *Tor* —5F **15**
Belle Vue Av. *Plym* —4G **27**
Belle Vue Dri. *Plym* —4G **27**
Belle Vue Ri. *Plym* —4G **27**
Belle Vue Rd. *Plym* —4H **27**
Belle Vue Rd. *Salt* —4C **8**
Bellingham Cres. *Plym* —4J **19**
Belliver Ind. Est. *Rob* —5G **5**
Belliver Way. *Rob* —5G **5**
Bellows Pk. *Brix* —4J **29**
Belmont Pl. *Plym* —4K **15**
Belmont Rd. *Ivy* —4D **22**
Belmont St. *Plym* —6B **16** (4B **2**)
Belmont Vs. *Plym* —5K **15**
Belstone Clo. *Plym* —4K **9**
Belvedere Rd. *Plym* —6G **17**
Benbow St. *Plym* —4J **15**
Bennets La. *Salt* —4C **8**
Bennett St. *Plym* —7H **15**
Beresford St. *Plym* —4K **15**
Berkeley Cotts. *Stoke* —5K **15**
Berkeley Way. *Ivy* —4E **22**
Berkshire Dri. *Ford* —3J **15**
Bernice Clo. *Plym* —4G **17**
Bernice Ter. *Plym* —4F **17**
Berrow Pk. Rd. *Plym* —1C **16**
Berry Head Gdns. *Plym* —6D **10**
Berry Pk. *Bur* —3A **8**
Berry Pk. Clo. *Plym* —3K **27**
Berry Pk. Rd. *Plym* —2K **27**
Berthon Rd. *Plym* —1E **14**
Berwick Av. *Plym* —4D **10**
Betjeman Wlk. *Plym* —4B **10**
Beverley Rd. *Plym* —4H **17**
Beverston Way. *Plym* —6G **5**
Beweys Pk. *Lwr B* —5K **7**
Beyrout Cotts. Plym —5J 15
  (off Beyrout Pl.)
Beyrout Pl. *Plym* —5J **15**
Bickern Rd. *Tor* —5E **14**
Bickham Pk. Rd. *Plym* —2C **16**
Bickham Rd. *Plym* —5G **9**
Bickleigh Clo. *Plym* —6F **11**
Bickleigh Down Rd. *Rob* —6H **5**
Bicton Clo. *Plym* —6J **11**
Biddick Dri. *Plym* —2J **15**
Bideford Wlk. *Plym* —7K **11**
Bigbury Wlk. *Plym* —7K **11**
Biggin Hill. *Plym* —2J **9**
Bilbury St. *Plym* —6D **16** (4F **3**)
Billacombe Rd. *Plym & Pom*
  —7H **17**
Billacombe Vs. *Bill* —1A **28**
Billing Clo. *Plym* —1C **10**
Billington Clo. *Plym* —7G **11**

Bircham Vw. *Plym* —6H **11**
Birch Clo. *Plym* —7K **5**
Birchfield Av. *Plym* —2A **16**
Birch Pond Rd. *Plym* —2J **27**
Birchwood Gdns. *Plym* —1H **19**
Birkbeck Clo. *Plym* —1F **19**
Birkdale Clo. *Salt* —5K **7**
Biscombe Gdns. *Salt* —4D **8**
Bishops Clo. *Ivy* —2F **23**
Bishops Pl. *Plym* —1B **26** (7B **2**)
Bittaford Ter. *Bitt* —2K **23**
Bittaford Wood Pk. Homes. *Bitt*
—2K **23**
Blachford Rd. *Ivy* —2C **22**
Blackall Gdns. *Plym* —1C **10**
Blackberry Clo. *Plym* —1J **27**
Blackberry La. *Plym* —1K **27**
Blackett Clo. *Ivy* —3F **23**
Blackeven Clo. *Rob* —5J **5**
Blackeven Hill. *Rob* —5J **5**
Blackfriars La. *Plym* —6F **3**
Blackmore Cres. *Plym* —1C **10**
Blackstone Clo. *Plym* —3C **28**
Blackthorn Clo. *Plym* —6J **5**
Blackthorn Dri. *Ivy* —4F **23**
Blackthorne Clo. *Plym* —4A **10**
Blairgowrie Rd. *Plym* —5F **9**
Blair Rd. *Ivy* —3E **22**
Blake Gdns. *Plym* —4B **10**
Blanchard Pl. *Plym* —1F **19**
Blandford Rd. *Plym* —3F **17**
Blaxton La. *Plym* —3A **4**
Blenheim Rd. *Plym* —5D **16** (2F **3**)
Blindwell Hill. *Mill* —4B **24**
Blindwell Ter. *Mill* —4B **24**
Bloomball Clo. *Plym* —2G **17**
Blue Haze Clo. *Plym* —2J **11**
Blunts La. *Plym* —3H **11**
Bodmin Rd. *Plym* —3A **10**
Boldventure. *Yeal* —6C **30**
Bond Spear Ct. *Plym* —7B **2**
Bond St. *Plym* —1D **10**
Bonville Rd. *Plym* —1C **10**
Boon's Pl. *Plym* —5C **16** (2D **2**)
Boringdon Camp. —3F **13**
Boringdon Clo. *Plym* —1E **18**
Boringdon Hill. *Plym* —7F **13**
Boringdon Pk. *Wood* —3B **22**
Boringdon Rd. *Plymp* —2E **18**
Boringdon Rd. *Turn* —2F **27**
Boringdon Ter. *Bill* —1A **28**
Boringdon Ter. *Plymp* —2E **18**
Boringdon Ter. *Turn* —2F **27**
Boringdon Vs. *Plymp* —2E **18**
Borough Ct. *Tor* —4B **14**
Borough La. *Tor* —4B **14**
Borough Pk. *Tor* —4B **14**
Borough, The. *Yeal* —5C **30**
Borringdon Av. *Plym* —7G **9**
Borrowdale Clo. *Plym* —2C **10**
Boscastle Gdns. *Plym* —7B **10**
Boscawen Pl. *Plym* —4H **15**
Boscundle Row. *Salt* —5D **8**
(off Albert Rd.)
Boswell Clo. *Plym* —5A **10**
Bottle Pk. *Lee B* —4G **21**
Boulden Clo. *Plym* —3K **19**
Boulter Clo. *Rob* —5H **5**
Bounds Pl. *Plym* —7B **16** (6B **2**)
Bourne Clo. *Plym* —2J **17**
Boville La. *Plym* —2D **28**
Bovisand La. *Down T* —7G **27**
Bovisand Rd. *Down T* —7J **27**
Bowden Hill. *Yeal* —5C **30**
Bowden Pk. Rd. *Plym* —6F **11**
Bowers Pk. Dri. *Plym* —7K **5**
Bowers Rd. *Plym* —3A **16**
Bowhays Wlk. *Plym* —1H **17**
Boxhill Clo. *Plym* —7B **10**
Boxhill Gdns. *Plym* —7B **10**
Bracken Clo. *Plym* —6J **5**
Braddons Hill. *Plym* —1C **18**

Bradfield Clo. *Plym* —6K **11**
Bradford Clo. *Plym* —1G **17**
Bradley Rd. *Plym* —4E **16**
Braemar Clo. *Plym* —4K **19**
Brake Rd. *Plym* —5D **10**
Bramble Clo. *Plym* —1G **17**
Bramble Wlk. *Plym* —1H **17**
Bramfield Pl. *Plym* —1J **17**
Bramley Rd. *Plym* —4H **17**
Brancker Rd. *Plym* —2B **16**
Brandon Rd. *Plym* —4H **17**
Brandreth Rd. *Plym* —2E **16**
Branscombe Gdns. *Plym* —4K **9**
Branson Ct. *Plym* —3K **19**
Braunton Wlk. *Plym* —7K **11**
Brayford Clo. *Plym* —4A **10**
Breakwater Hill. *Cox & Plym*
—1F **27** (7J **3**)
Breakwater Rd. *Plyms* —1H **27**
Brean Down Clo. *Plym* —2D **16**
Brean Down Rd. *Plym* —1D **16**
Brecon Clo. *Plym* —1F **17**
Brentford Av. *Plym* —2A **10**
Brent Knoll Rd. *Plym* —2D **16**
Brentor Rd. *Plym* —6G **17**
Brest Rd. *Derr & Plym* —3F **11**
Brest Way. *Plym* —4F **11**
Breton Side. *Plym* —7D **16** (5F **3**)
Brett Wlk. *Plym* —1G **19**
Briansway. *Salt* —5A **8**
Briardale Rd. *Plym* —2J **15**
Briarleigh Clo. *Plym* —5A **12**
Briar Rd. *Plym* —1E **16**
Bridge Pk. *Ivy* —3E **22**
Bridges, The. *Salt* —6B **8**
Bridgwater Clo. *Plym* —6G **11**
Bridle Clo. *Plym* —1J **19**
Bridwell Clo. *Plym* —7H **9**
Bridwell La. N. *Plym* —7H **9**
Bridwell Rd. *Plym* —7H **9**
Brimhill Clo. *Plym* —5J **19**
Brismar Wlk. *Plym* —1H **17**
Britannia Pl. *Plym* —6G **17**
Brixham Wlk. *Plym* —7K **11**
Brixton Lodge Gdns. *Brix* —4G **29**
Broadland Gdns. *Plym* —1B **28**
Broadland La. *Plym* —1A **28**
Broadlands Clo. *Plym* —5H **19**
Broadley Pk. Rd. *Rob* —5F **5**
Broad Pk. *Ore* —2H **27**
Broad Pk. Rd. *Plym* —2C **16**
Broad Wlk. *Salt* —6B **8**
Broadway, The. *Plym* —2K **27**
Brockhole La. *Plym* —7F **13**
Brockley Rd. *Plym* —4H **17**
Brockton Gdns. *Plym* —1G **15**
Bromhead Ct. *Plym* —7F **11**
Bromley Pl. *Plym* —4K **15**
Bronte Pl. *Plym* —6C **10**
Brook Clo. *Plym* —5H **19**
Brookdown Ter. *Salt* —4B **8**
Brookdown Vs. *Salt* —4B **8**
Brooke Clo. *Salt* —5D **8**
Brookfield Clo. *Plym* —3J **19**
Brooking Clo. *Plym* —6F **11**
Brookingfield Clo. *Plym* —3D **18**
Brooking Way. *Salt* —4K **7**
Brooklands. *Plym* —4D **10**
Brook Rd. *Plym* —3E **22**
Brook's Hill. *Salt* —3B **8**
Brook, The. *Salt* —3B **8**
Brookwood Rd. *Plym* —2E **28**
Broomfield Dri. *Plym* —3G **27**
Broom Hill. *Salt* —5A **8**
Broom Pk. *Plym* —4J **27**
Broughton Clo. *Plym* —1E **16**
Brownhill La. *Wem* —3C **32**
Browning Rd. *Plym* —3K **15**
Brownlow St. *Plym* —7K **15**
(in two parts)
Broxton Dri. *Plym* —7K **17**
Brunel Av. *Plym* —3J **15**

Brunel Rd. *Salt* —3K **7**
Brunel Ter. *Plym* —3J **15**
Brunel Way. *Ivy* —2F **23**
Brunswick Pl. *Plym* —4J **15**
Brunswick Rd. *Plym*
(in two parts) —7E **16** (5J **3**)
Brynmoor Clo. *Plym* —1F **17**
Brynmoor Pk. *Plym* —1F **17**
Brynmoor Wlk. *Plym* —2F **17**
Buckfast Clo. *Ivy* —4E **22**
Buckfast Clo. *Plym* —7J **9**
Buckingham Pl. *Plym* —5H **9**
Buckland Clo. *Plym* —1E **18**
Buckwell St. *Plym* —7D **16** (5F **3**)
Buddle Clo. *Ivy* —3F **23**
Buddle Clo. *Plym* —4B **28**
Budleigh Clo. *Plym* —4A **28**
Budshead Grn. *Plym* —3B **10**
Budshead Rd. *Plym* —4J **9**
(PL5)
Budshead Rd. *Plym* —4D **10**
(PL6)
Budshead Way. *Plym* —5D **10**
Buena Vista Clo. *Plym* —1J **11**
Buena Vista Dri. *Plym* —1H **11**
Buena Vista Gdns. *Plym* —1H **11**
Buena Vista Way. *Plym* —1H **11**
Bulleid Clo. *Plym* —1J **15**
Buller Clo. *Plym* —4G **19**
Buller Clo. *Tor* —5E **14**
Buller Pk. *Salt* —4A **8**
Buller Rd. *Tor* —5D **14**
Bull Point Barracks. *Plym* —7E **8**
Bull Point Cotts. *Plym* —7E **8**
Bulmer Rd. *Plym* —6F **17** (4K **3**)
Bulteel Gdns. *Plym* —7D **4**
(off Winnicott Clo.)
Bunyan Clo. *Plym* —5B **10**
Burleigh La. N. *Plym* —1C **16**
Burleigh Mnr. *Plym* —1C **16**
Burleigh Pk. Rd. *Plym* —2C **16**
Burnard Clo. *Plym* —7D **4**
Burnett Clo. *Salt* —5A **8**
Burnett Rd. *Plym* —7E **10**
Burnham Pk. Rd. *Plym* —1C **16**
Burniston Clo. *Plym* —5H **19**
Burns Av. *Plym* —5A **10**
Burraton Rd. *Latch* —3J **7**
Burrington Ind. Est. *Plym* —6K **9**
Burrington Rd. *Plym* —6K **9**
Burrington Way. *Plym* —6K **9**
Burrow Hill. *Plym* —3K **27**
Burton Clo. *Plym* —1G **11**
Burwell Clo. *Plym* —3K **11**
Bush Pk. *Plym* —4A **12**
Bute Rd. *Plym* —4F **17**
Butler Clo. *Plym* —1G **11**
Butterdon Wlk. *Ivy* —3G **23**
Butterdown. *Latch* —4J **7**
Butt Pk. Rd. *Hon & Plym* —5A **10**
Byard Clo. *Plym* —6H **9**
Byland Rd. *Plym* —2F **17**
Byron Av. *Plym* —5A **10**

Cabot Clo. *Salt* —5B **8**
Cadleigh Clo. *Lee I* —4K **21**
Cadleigh La. *Lee I* —3A **22**
Cadover Clo. *Plym* —6F **11**
Caernarvon Gdns. *Plym* —1A **16**
Calder Clo. *Plym* —2G **17**
Caldicot Gdns. *Plym* —6G **5**
Caledonia Clo. *Plym* —3J **19**
California Gdns. *Plym* —2J **17**
Callington Rd. *Salt* —3K **7**
Calvez Clo. *Mill* —3C **24**
Camber Rd. *Stone* —1K **25** (7A **2**)
Camborne Clo. *Plym* —2K **9**
Cambridge Rd. *Plym* —3J **15**
Cambridge Ter. *Tor* —5E **14**
(off Wellington St.)
Camden Pl. *Plym* —3G **3**

Camden St. *Plym* —6D **16** (3G **3**)
Cameron Dri. *Wood* —3B **22**
Cameron Way. *Plym* —6G **11**
Camilla Ter. *Plym* —1C **16**
Campbell Rd. *Plym* —2A **28**
Camperdown St. *Plym* —4H **15**
Camperdown St. La. N. *Plym*
(off Camperdown St.) —4H **15**
Camperknowle Clo. *Mill* —3C **24**
Campion Clo. *Plym* —3K **19**
Campion Vw. *Plym* —5A **12**
Cample Haye Vs. *Plym* —6E **8**
(off Lit. Ash Rd.)
Candish Dri. *Plym* —1E **28**
Canefields Av. *Plym* —5J **19**
Cane's Cotts. *Brix* —4H **29**
(off Horn La.)
Canhaye Clo. *Plym* —5H **19**
Cann Gdns. *Plym* —1C **10**
Cannon St. *Plym* —6G **15**
Cannon St. Flats. *Plym* —6G **15**
(off Cannon St.)
Cann Wood Vw. *Plym* —7K **5**
Canterbury Clo. *Ivy* —4F **23**
Canterbury Dri. *Plym* —3A **10**
Caprera Pl. *Plym* —2D **2**
Caprera Ter. La. *Plym*
—5C **16** (2D **2**)
Caradon Clo. *Plym* —2F **11**
Caradon Ter. *Salt* —3B **8**
Carbeile Rd. *Tor* —5D **14**
Cardiff Clo. *Plym* —4J **19**
Cardigan Rd. *Plym* —6H **11**
Cardinal Av. *Plym* —7G **9**
Careswell Av. *Plym* —7J **9**
Carew Av. *Plym* —4A **10**
Carew Gdns. *Plym* —4A **10**
Carew Gdns. *Salt* —4A **8**
Carew Gro. *Plym* —4A **10**
Carew Ter. *Tor* —6E **14**
Carey Ct. *Salt* —3B **8**
Carisbrooke Rd. *Plym* —6H **11**
Carlisle Rd. *Plym* —4B **10**
Carlton Clo. *Plym* —3G **17**
Carlton Ter. *Lip* —5B **16** (3J **3**)
Carlton Ter. *Plym* —6A **16**
Carlton Ter. *West M* —7K **9**
Carlyon Clo. *Tor* —4C **14**
Carmarthen Rd. *Plym* —6G **17**
Carnock Rd. *Plym* —7C **10**
Carnoustie Dri. *Salt* —5K **7**
Carolina Gdns. *Plym* —1J **15**
Caroline Pl. *Plym* —7K **15**
(in two parts)
Carpenter Rd. *Plym* —1A **28**
Carradale Rd. *Plym* —7H **17**
Carrisbrooke Way. *Latch* —4J **7**
Carroll Rd. *Plym* —4B **10**
Carter Rd. *Ivy* —2E **22**
Castle Acre Gdns. *Plym* —3G **17**
Castle Bank Gdns. *Plym* —3G **17**
Castle Carey Gdns. *Plym* —3G **17**
Castle Ct. *Lwr B* —5K **7**
Castle Dyke La. *Plym* —6F **3**
Castlehayes Gdns. *Plym* —4F **19**
Castle La. *Plym* —4F **19**
Castlemead Clo. *Salt* —4A **8**
Castlemead Dri. *Salt* —4A **8**
Castle Ri. *Plym* —4G **17**
Castle Ri. *St Ste* —6K **7**
Castle St. *Plym* —7D **16** (6F **3**)
Castleton Clo. *Plym* —4F **17**
Castle Vw. *St Ste* —6K **7**
Catalina Vs. *Plym* —3F **27**
Cathcart Av. *Plym* —6G **17**
Cathedral St. *Plym* —6B **16** (3B **2**)
Catherine St. *Plym* —7C **16** (5E **2**)
Cattedown Rd. *Catt & Plym*
(in two parts) —1F **27** (7K **3**)
Cattedown Rd. *Plym*
—7F **17** (5K **3**)
Catterick Clo. *Plym* —2H **9**

Cattewater Rd. *Plym* —7G **17**
Cavendish Rd. *Plym* —7G **17**
Caxton Gdns. *Plym* —6B **10**
Cayley Way. *Plym* —5J **9**
Cecil Av. *Plym* —5F **17** (2K **3**)
Cecil Cotts. *Plym* —6A **16** (4A **2**)
Cecil St. *Plym* —6B **16** (3B **2**)
(in two parts)
Cedar Av. *Plym* —4H **27**
Cedar Clo. *Tor* —6C **14**
Cedar Ct. *Salt* —5C **8**
Cedarcroft Rd. *Plym* —1A **16**
Cedar Dri. *Tor* —6C **14**
Celandine Gdns. *Plym* —3K **19**
Central Av. *Lee I* —3J **21**
Central Pk. Av. *Plym*
—5B **16** (1C **2**)
Central Rd. *Plym* —1B **26** (7B **2**)
Central St. *Plym* —7A **16** (5A **2**)
Chaddlewood Av. *Plym*
—5E **16** (2J **3**)
Chaddlewood Clo. *Plym* —3G **19**
Chagford Wlk. *Plym* —7K **11**
Challgoog Clo. *Plym* —4A **28**
Challgoog Ri. *Plym* —4A **28**
Challock Clo. *Plym* —3J **11**
Chamberlayne Dri. *Plymp* —2F **19**
Channel Pk. Av. *Plym* —3G **17**
Channel Vw. Ter. *Plym*
—5F **17** (1K **3**)
Channon Rd. *Salt* —3K **7**
Chantry Rd. *Plym* —3C **18**
Chapeldown Rd. *Tor* —6D **14**
Chapel Pl. *Erm & Ivy* —3E **22**
Chapel Rd. *Latch* —4J **7**
Chapel Rd. *Yeal* —6D **30**
Chapel Row. *Tor* —5E **14**
Chapel St. *Dev* —6H **15**
Chapel St. *Plym* —6D **16** (3F **3**)
Chapel St. Ope. *Plym* —6H **15**
Chapel Way. *Plym* —2F **19**
Chapman Ct. *Latch* —4J **7**
Chapmans Ope. *Plym* —6G **15**
Chard Barton. *Plym* —4A **10**
Chard Rd. *Plym* —5G **9**
Charfield Dri. *Plym* —6F **11**
Charles Cross. *Plym*
—6D **16** (4F **3**)
Charles Hankin Way. *Plym* —4F **23**
Charles St. *Plym* —6D **16** (3F **3**)
Charles Ter. *Plym* —2F **17**
Charlotte St. *Plym* —4H **15**
Charlton Cres. *Plym* —5F **11**
Charlton Rd. *Plym* —4E **10**
Charlton Ter. *Ivy* —3E **22**
Charnhill Clo. *Plym* —3B **28**
Charnhill Way. *Plym* —3B **28**
Chase, The. *Ivy* —4E **22**
Chatsworth Gdns. *Plym* —4J **9**
Chaucer Way. *Plym* —6A **10**
Chedworth St. *Plym*
—6D **16** (3G **3**)
Chelmer Clo. *Plym* —5H **9**
Chelmsford Pl. *Plym* —3B **10**
Chelson Gdns. *Plym* —4K **11**
Cheltenham Pl. *Plym* —1G **3**
Chepstow Av. *Plym* —6H **5**
Cheriton Clo. *Plym* —4K **9**
Cherry Pk. *Plym* —5H **19**
Cherry Tree Dri. *Brix* —4H **29**
Cherry Tree La. *Plym* —4H **19**
Cheshire Dri. *Plym* —1B **10**
Chesterfield Rd. *Plym* —4G **17**
Chester Pl. *Plym* —4D **16** (1G **3**)
Chesterton Clo. *Plym* —4B **10**
Chestnut Av. *Plym* —4H **27**
Chestnut Clo. *Tor* —5C **14**
Chestnut Rd. *Plym* —1C **16**
Chichester Cres. *Salt* —6B **8**
Childrey Gdns. *Plym* —6H **11**
Childrey Wlk. *Plym* —6H **11**
Chilton Clo. *Plym* —1G **17**

Chittleburn Hill. *Brix* —4F **29**
Chivenor Av. *Plym* —3G **9**
Chubb Dri. *Plym* —4A **16**
Chudleigh Rd. *Plym* —4F **17**
Church Clo. *Plym* —1C **18**
Church Clo. *Yeal* —5C **30**
Church Cotts. *Brix* —4H **29**
Church Hill. *Egg* —6G **11**
Church Hill Rd. *Hooe* —3F **27**
Churchill Wlk. *Salt* —6B **8**
Churchill Way. *Plym* —2D **16**
Churchlands Clo. *Plym* —7K **5**
Churchlands Rd. *Plym* —6K **5**
Church Mdw. *Ivy* —3B **22**
Church Pk. *New F* —5H **33**
Church Pk. Ct. *Plym* —6K **5**
Church Pk. Rd. *New F* —5H **33**
Church Pk. Rd. *Plym* —6K **5**
Church Pk. Rd. *Yeal* —6D **30**
Church Path. *Plym* —6K **15**
Church Rd. *Plym* —3A **28**
Church Rd. *Plymp* —4G **19**
Church Rd. *Plyms* —2K **27**
Church Rd. *Salt & Tide* —5A **8**
Church Rd. *Wem* —4B **32**
Church Rd. *Yeal* —6C **30**
Church Row La. *Tam F* —1B **10**
Churchstow Wlk. *Plym* —7K **11**
Church St. *Ldrke & St Ger* —2B **6**
Church St. *Plym* —4K **15**
Churchtown Va. *Salt* —5A **8**
Church Wlk. *Wem* —4A **32**
Church Way. *Plym* —7H **9**
Church Way. *Yeal* —5C **30**
Citadel Ope. *Plym* —6F **3**
Citadel Rd. *Plym* —7B **16** (6B **2**)
Citadel Rd. E. *Plym* —7D **16** (6E **2**)
Claremont St. *Plym* —5B **16** (2C **2**)
Claremont Ct. *Plym* —6A **16**
Clarence Pl. *Mor T* —4H **15**
Clarence Pl. *Stone* —6A **16** (4A **2**)
Clarence Pl. *Tor* —5E **14**
Clarence Rd. *Tor* —5D **14**
Clarendon La. *Plym* —5J **15**
Clarendon Ter. *Plym* —5J **15**
(off Clarendon La.)
Clare Pl. *Plym* —7E **16** (6J **3**)
Clare St. *Ivy* —4D **22**
Claymans Pathway. *Wood* —2B **22**
Clayton Pl. *Plym* —6G **17**
Clayton Rd. *Plym* —6G **17**
Clearbrook Av. *Plym* —6H **9**
Clear Vw. *Salt* —4A **8**
Cleave, The. *Caw* —7D **24**
Cleave Dri. *Ivy* —2C **22**
Cleeve Gdns. *Plym* —7K **9**
Clegg Av. *Tor* —5B **14**
Clement Rd. *Plym* —3J **19**
Clevedon Rd. Av. *Plym* —2A **16**
Cleveland Rd. *Plym* —6F **17** (3K **3**)
Cliff La. *Mill* —5A **24**
Clifford Clo. *Plym* —5H **9**
Cliff Rd. *Plym* —1B **26** (7B **2**)
Cliff Rd. *Wem* —4B **32**
Clifton Av. *Plym* —1F **19**
Clifton Clo. *Plym* —1F **19**
Clifton Pl. *Plym* —5D **16** (1G **3**)
Clifton St. *Plym* —5D **16** (2G **3**)
Clinton Av. *Plym* —5F **17** (1K **3**)
Clinton Ter. *Mill* —3C **24**
Clittaford Rd. *Plym* —1E **10**
Clittaford Vw. *Plym* —7D **4**
Close, The. *Salt* —4K **7**
Clovelly Rd. *Plym* —1F **27** (7K **3**)
Clovelly Vw. *Plym* —2F **27**
Clover Ri. *Plym* —6K **5**
Clover Wlk. *Latch* —4K **7**
Clowance Clo. *Plym* —7J **15**
Clowance La. *Plym* —7H **15**
Clowance La. Flats. *Plym* —7H **15**
(off Clowance La.)

Clowance St. *Plym* —7H **15**
(in two parts)
Clyde St. *Plym* —3J **15**
Coach Ho. M. *Plym* —3C **28**
Coach Rd. *Noss M* —7G **33**
Cobbett Rd. *Plym* —6A **10**
Cobb La. *Plym* —3A **28**
Cobourg St. *Plym* —6C **16** (3E **2**)
Cockington Clo. *Plym* —6K **11**
Cockington Wlk. *Plym* —6H **11**
Colborne Rd. *Plym* —5F **11**
Coldrenick St. *Plym* —6F **9**
Colebrook La. *Plym* —1F **19**
Colebrook Rd. *Plymp* —2F **19**
Colebrook Rd. *St Bud* —6G **9**
Cole La. *Ivy* —2E **22**
Cole La. *Yeal* —7C **22**
Coleman Dri. *Plym* —4A **28**
Coleridge Av. *Plym* —5E **10**
Coleridge Gdns. *Plym*
—5F **17** (1K **3**)
Coleridge Rd. *Plym* —4E **16** (1J **3**)
Colesdown Hill. *Plym* —1B **28**
Colin Campbell Ct. *Plym*
—6B **16** (4C **2**)
Collaford Clo. *Plym* —5H **19**
College Av. *Plym* —3D **16**
College Dean Clo. *Plym* —2H **11**
College La. *Plym* —4D **16**
College Pk. Pl. *Plym* —3D **16**
College Rd. *Plym* —3H **15**
College Vw. *Plym* —4D **16**
Colliers Clo. *Wem* —3C **32**
Collin Clo. *Plym* —6G **9**
Collingwood Av. *Plym* —7F **17**
Collingwood Rd. *Plym* —5K **15**
Collingwood Vs. *Plym* —5K **15**
Colne Gdns. *Plym* —3G **17**
Colston Clo. *Plym* —1G **11**
Coltishall Clo. *Plym* —3J **9**
Coltness Rd. *Plym* —4C **28**
Coltsfield Clo. *Plym* —7G **11**
Colwill Rd. *Plym* —4K **11**
Colwill Wlk. *Plym* —4A **12**
Colwyn Rd. *Tor* —5D **14**
Combe Down La. *Noss M* —6G **33**
Combe La. *Brix* —4H **29**
(in two parts)
Combley Dri. *Plym* —3J **11**
Commercial Ope. *Plym* —6J **3**
Commercial Pl. *Plym* —6H **3**
Commercial Rd. *Plym*
—7E **16** (6J **3**)
Commercial St. *Plym*
—7E **16** (6J **3**)
Common La. *Plym* —1E **4**
Compass Dri. *Plym* —1H **19**
Compton Av. *Plym* —3E **16**
Compton Knoll Clo. *Plym* —2F **17**
Compton Leigh. *Plym* —2E **16**
Compton Pk. Rd. *Plym* —3E **16**
Compton Va. *Plym* —3F **17**
Congreve Gdns. *Plym* —6B **10**
Coniston Gdns. *Plym* —3E **10**
Connaught Av. *Plym* —4D **16**
Connaught La. *Plym* —4D **16**
Conrad Rd. *Plym* —6B **10**
Consort Clo. *Plym* —1D **16**
Constable Clo. *Plym* —5C **10**
(off Cowley Rd.)
Constance Pl. *Plym*
—6A **16** (3A **2**)
Constantine St. *Plym*
—6D **16** (4G **3**)
Convent Clo. *Salt* —4B **8**
Conway Gdns. *Plym* —1A **16**
Conyngham Ct. *Plym* —7F **11**
Cooban Ct. *Plym* —7F **15**
Cook Ct. *Latch* —4J **7**
Cookworthy Rd. *Plym* —2J **15**
Coombe La. *Tam F* —1B **10**
Coombe Pk. *Salt* —5C **8**

Coombe Pk. Clo. *Caw* —7D **24**
Coombe Pk. La. *Plym* —4K **9**
Coombe Rd. *Salt* —6C **8**
Coombe Vw. *Plym* —1H **15**
(off Ainslie Ter.)
Coombe Way. *Plym* —5J **9**
Coplestone Rd. *Plym* —2C **10**
Coppard Meadows. *Plym* —2C **18**
Copper Beech Way. *Plym* —7H **5**
Coppers Pk. *Plym* —7K **5**
Coppice Gdns. *Plym* —5D **10**
Coppice, The. *Wood* —4B **22**
Coppice Wood Dri. *Plym* —6H **5**
Copse Clo. *Plym* —4E **18**
Copse Rd. *Plym* —4E **18**
Copthorne Gdns. *Plym* —4A **28**
Corea Ter. *Plym* —6K **15**
Corfe Av. *Plym* —1E **16**
Corfe Clo. *Ivy* —4E **22**
Coringdean Clo. *Plym* —1G **11**
Corner Brake. *Plym* —7J **5**
Cornfield Gdns. *Plym* —1J **19**
Cornwall Beach. *Plym* —6G **15**
Cornwall St . Flats. *Plym* —6G **15**
(off Cornwall St.)
Cornwall St. *Dev* —6G **15**
Cornwall St. *Plym* —6B **16** (4C **2**)
(in two parts)
Cornwood Rd. *Ivy* —3B **22**
Cornwood Rd. *Plymp* —4J **19**
Cornworthy Clo. *Plym* —1K **15**
Coronation Cotts. *Tor* —5E **14**
Coronation Pl. *Plym* —7H **9**
Corondale Rd. *Plym* —1A **16**
Corporation Rd. *Plym* —1C **16**
Corsham Clo. *Plym* —1G **11**
Cory Ct. *Wem* —2D **32**
Cosdon Pl. *Plym* —6E **10**
Costly St. *Ivy* —3E **22**
Cotehele Av. *Key* —3J **15**
Cotehele Av. *Prin R* —7F **17** (5K **3**)
Cot Hill. *Plym* —3C **18**
Cot Hill Clo. *Plym* —2B **18**
Cot Hill Dri. *Plym* —3C **18**
Cot Hill Trad. Est. *Plym* —2B **18**
Cotton Clo. *Plym* —4G **19**
County Clo. *Plym* —3H **19**
Courtenay St. *Plym*
—6C **16** (5D **2**)
Courtfield Rd. *Plym* —3E **16**
Courtland Cres. *Plym* —1E **18**
Courtlands. *Salt* —6B **8**
Court Rd. *New F* —5E **32**
(in two parts)
Court, The. *Latch* —5K **7**
Court, The. *Plym* —7H **5**
Court Vw. *Brix* —5G **29**
Court Wood. *New F* —4F **33**
Cove Mdw. *Wil* —2D **14**
Coverdale Pl. *Plym* —6B **10**
Cowdray Clo. *Salt* —5B **8**
Cowdray Ter. *Salt* —6B **8**
Cowley Rd. *Plym* —4C **10**
Cox's Clo. *Plym* —6G **11**
Coypool Rd. *Plym & Plymp*
—2B **18**
Crabtree Clo. *Plym* —3A **18**
Crabtree Vs. *Plym* —3K **17**
Crackston Clo. *Plym* —1G **17**
Craigie Dri. *Plym* —6A **16** (3A **2**)
Craigmore Av. *Plym* —3J **15**
Cramber Clo. *Rob* —5H **5**
Cranbourne Av. *Plym*
—5F **17** (2K **3**)
Cranfield. *Plym* —1C **18**
Cranmere Rd. *Plym* —2F **17**
Crantock Ter. *Plym* —3K **15**
Crashaw Clo. *Plym* —4C **10**
Craven Av. *Plym* —5F **17** (2K **3**)
Crawford Rd. *Plym* —5A **16** (1A **2**)
Creamery Clo. *Yeal* —6D **30**
Crediton Wlk. *Plym* —7K **11**

Elm Cotts. Salt —4K **7**
(off Thorn La.)
Elm Cres. Plym —4F **17**
Elm Cft. Plym —2J **11**
(off Elm Rd.)
Elmcroft. Plym —1A **16**
Elm Gro. Egg —7G **11**
Elm Gro. Plym —3F **19**
Elm Rd. Mann —3E **16**
Elm Rd. Plym —2J **11**
Elms, The. Plym —5K **15**
Elm Ter. Plym —3E **16**
(off Elm Rd.)
Elm Tree Clo. Yeal —5C **30**
Elm Tree Pk. Yeal —5C **30**
Elmwood Clo. Plym —2J **11**
Elphinstone Rd. Plym —1B **16**
Elwell Rd. Salt —4D **8**
Elwick Gdns. Plym —3G **17**
Embankment La. Plym —6G **17**
Embankment Rd. Plym
—7F **17** (5K **3**)
Emily Gdns. Plym —5E **16** (1H **3**)
Emma Pl. Plym —7K **15**
Emma Pl. Ope. Plym —7K **15**
Endsleigh Gdns. Plym
—5D **16** (2F **3**)
Endsleigh Pk. Rd. Plym —2C **16**
Endsleigh Pl. Plym —5D **16** (2F **3**)
Endsleigh Rd. Plym —2H **27**
Endsleigh Vw. Ivy —3B **22**
Ennerdale Gdns. Plym —3D **10**
Epping Cres. Plym —1J **17**
Epworth Ter. Plym —3J **15**
Eric Rd. Plym —6F **17** (4K **3**)
Erith Av. Plym —1H **15**
Erle Gdns. Plym —5G **19**
Erlstoke Clo. Plym —6H **11**
Erme Dri. Ivy —3D **22**
Erme Gdns. Plym —3H **17**
Erme M. Ivy —4D **22**
Erme Rd. Ivy —3E **22**
Ermington Ter. Plym —4D **16**
Ernesettle Cres. Plym —4H **9**
Ernesettle Grn. Plym —3H **9**
Ernesettle La. Plym —2G **9**
Ernesettle Rd. Plym —4H **9**
Ernesettle Ter. Plym —4H **9**
(off Ernesettle Rd.)
Erril Retail Pk. Plym —3C **18**
Esmonde Gdns. Plym —7E **8**
Esplanade, The. Plym
—1C **26** (7D **2**)
Essa Rd. Salt —5C **8**
Essex St. Plym —5B **16** (2B **2**)
Esso Wharf Rd. Catt
—1F **27** (7K **3**)
Estover Clo. Plym —3A **12**
Estover Ind. Est. Plym —3A **12**
Estover Rd. Plym —3K **11**
Eton Av. Plym —5C **16** (2D **2**)
Eton Pl. Plym —5C **16** (2D **2**)
Eton St. Plym —5C **16** (3D **2**)
Eton Ter. Plym —6B **16** (3C **2**)
Evans Pl. Plym —3A **16**
Evelyn Pl. Plym —5D **16** (1F **3**)
Evelyn St. Plym —6G **9**
Evenden Ct. Tor —5D **14**
Exchange St. Plym —6F **3**
Exe Gdns. Plym —1H **17**
Exeter Clo. Plym —3G **9**
Exeter Rd. Ivy —3E **22**
Exeter St. Plym —6D **16** (5F **3**)
Exmouth Rd. Plym —5J **15**
(in two parts)

Fairfax Ter. Plym —4J **15**
Fairfield. Plym —1E **18**
Fairfield Av. Plym —1B **16**
Fairmead M. Lwr B —4K **7**
Fairmead Rd. Bur C & Salt —5K **7**

Fairview Av. Plym —3J **17**
Fairview Way. Plym —3K **17**
Fairway. Salt —5K **7**
Fairway Av. Ivy —3C **22**
Fairway, The. New F —5G **33**
Falconry Cen. —5F **31**
Fanshawe Way. Plym —3H **27**
Faraday Mill Bus. Pk. Plym
—7G **17**
Faraday Rd. Plym —7G **17**
Farm Clo. Plym —2D **18**
Farm La. Plym —5A **10**
Farm La. Salt —6A **8**
Farnley Clo. Plym —1G **11**
Farringdon Rd. Plym —5G **17**
Fayre Vw. Plym —6H **7**
Fearnside Way. Salt —4K **7**
Federation Rd. Plym —4H **17**
Fegan Rd. Plym —5B **8**
Fellowes La. Plym —5A **16**
Fellowes Pl. Plym —6K **15**
Fenten Pk. Salt —5C **8**
Fernbank Av. Wood —2B **22**
Fern Clo. Plym —3J **19**
Ferndale Av. Plym —1H **15**
Ferndale Clo. Plym —6J **5**
Ferndale Rd. Plym —1H **15**
Fernhill Clo. Ivy —3C **22**
Fernleigh Rd. Plym —3E **16**
Ferrers Rd. Plym —6H **9**
Ferry La. Wil —2A **14**
Ferry Rd. Plym —5G **15**
Ferry St. Tor —5F **15**
Feversham Clo. Plym —2J **19**
Filham & Stowford Bus. Pk. Ivy
(off Blair Rd.) —4E **22**
Filham Moor Clo. Ivy —4F **23**
Fillham Moor La. Ivy —3E **22**
Fincer Dri. Ivy —2B **22**
Finch Clo. Plym —4J **17**
Finches Clo. Plym —2D **28**
Findon Gdns. Plym —3J **11**
Finewell St. Plym —7C **16** (5E **2**)
Finnigan Rd. Plym —1G **27**
Fircroft Rd. Plym —1A **16**
First Av. Bill —1A **28**
First Av. Stoke —6K **15**
Firtree Ri. Ivy —3E **22**
Firtree Rd. Plym —1J **11**
Fisgard Way. Tor —5A **14**
Fisher Rd. Plym —3K **15**
Fish Mkt. Plym —7D **16** (6G **3**)
Fish Quay. Plym —6H **3**
Fistral Clo. Tor —4C **14**
Fitzroy Rd. Plym —5K **15**
Fitzroy Ter. Plym —5K **15**
Flamborough Rd. Plym —7F **5**
Flamborough Way. Plym —1F **11**
Flamsteed Cres. Plym —6H **9**
Fleet St. Plym —2H **15**
Fletcher Cres. Plym —3B **28**
Fletcher Way. Plym —3B **28**
Fletemoor Rd. Plym —6G **9**
Flete Vw. Ter. Bitt —1K **23**
Flora Cotts. Plym —7B **16** (5B **2**)
Flora Clo. Plym —6B **16** (4B **2**)
Flora St. Plym —7B **16** (5B **2**)
Florence Pl. Plym —6F **17**
Florence St. Plym —6G **9**
Florida Gdns. Plym —2H **17**
Floyd Clo. Plym —1J **15**
Foliot Av. Plym —2K **15**
Foliot Rd. Plym —1J **15**
Ford Clo. Plym —3B **22**
Forder Heights. Plym —6G **11**
Forder Hill. Caw —7C **24**
Forder Valley Rd. Egg —6G **11**
Forder Valley Rd. Plym —1K **17**
Ford Hill. Plym —3K **15**
Ford Pk. Plym —4D **16**
Ford Pk. La. Plym —4D **16**
Ford Pk. Rd. Plym —4C **16**

Ford Rd. Wem —3A **32**
Ford Rd. Yeal —6D **30**
Forest Av. Plym —1B **16**
Foresters Rd. Plym —2J **27**
Fore St. Caw —7D **24**
Fore St. Dev —6H **15**
Fore St. Hess & Tor —5E **14**
Fore St. Ivy —3D **22**
Fore St. Mill —4B **24**
Fore St. Plymp —4F **19**
Fore St. Salt —5C **8**
Fore St. Tam F —1A **10**
Fore St. Yeal —5C **30**
Forest Vw. Wool —7J **5**
Forge Clo. Rob —5H **5**
Forge La. Salt —3K **7**
Forresters. Plym —7J **5**
Forsythia Dri. Latch —4J **7**
Fort Austin Av. Plym —5E **10**
Fortescue Pl. Plym —2F **17**
Forth Gdns. Plym —2J **17**
Fort Ter. Plym —4E **10**
Fort, The. Caw —7D **24**
Fosbrooke Ct. Plym —2E **16**
Foulston Av. Plym —7E **8**
Foundry La. Noss M —7G **33**
Fountains Cres. Plym —7A **10**
Fowey Gdns. Plym —2J **17**
Fox Fld. Clo. Plym —3H **17**
Foxglove Way. Latch —4J **7**
Foxtor Clo. Plym —4A **10**
Foxwood Gdns. Plym —2D **10**
Foxwood Gdns. Plyms —4K **27**
Foyle Clo. Plym —3H **19**
Francis Pl. Plym —6A **16** (3A **2**)
Francis St. Plym —6A **16** (4A **2**)
Frankfort Ga. Plym —6B **16** (4C **2**)
Franklyns. Plym —3F **11**
Franklyns Clo. Plym —3F **11**
Fraser Pl. Tam F —7B **4**
Fraser Rd. Tam F —7H **4**
Fraser Sq. Tam F —6B **4**
Frederick St. E. Plym
—6B **16** (4B **2**)
Frederick St. W. Plym
—6B **16** (4B **2**)
Fredington Gro. Plym —2A **16**
Freedom Sq. Plym —1H **3**
Freeman's Wharf. Plym —1K **25**
Freemantle Av. Plym —4J **15**
Fremantle Pl. Plym —4J **15**
Frenchman's La. Ldrke —1C **6**
Frensham Av. Plym —1H **11**
Frensham Gdns. Plym —7H **5**
Freshford Clo. Plym —6H **11**
Freshford Wlk. Plym —6H **11**
Frewin Gdns. Plym —1G **11**
Friars La. Plym —6F **3**
Friary Pk. Plym —5H **3**
(nr. Exeter St.)
Friary Pk. Plym —6E **16** (4H **3**)
(nr. Tothill Rd.)
Friary St. Plym —7E **16** (5H **3**)
Frith Rd. Salt —4A **8**
Frobisher Dri. Salt —5B **8**
Frobisher Way. Tor —5A **14**
Frogmore Av. Plym —7G **11**
Frogmore Ct. Plym —1G **17**
Frome Clo. Plym —4H **19**
Frontfield Cres. Plym —2D **10**
Fullerton Rd. Plym —3K **15**
Furland Clo. Plym —4H **27**
Furneaux Av. Plym —3A **16**
Furneaux Rd. Plym —3A **16**
Fursdon Clo. Plym —3D **28**
Furse Pk. Plym —1F **15**
Furzeacre Clo. Plym —1H **19**
Furzehatt Av. Plym —3B **28**
Furzehatt Pk. Rd. Plym —3B **28**
Furzehatt Ri. Plym —3B **28**
Furzehatt Rd. Plym —3A **28**
Furzehatt Vs. Plym —3A **28**

Furzehatt Way. Plym —3B **28**
Furzehill Rd. Plym —4E **16** (1H **3**)

Galileo Clo. Plymp —2F **19**
Gallacher Way. Latch —4J **7**
Galsworthy Clo. Plym —5B **10**
Galva Rd. Hem —7K **13**
Ganges Rd. Plym —3K **15**
Ganna Pk. Rd. Plym —2C **16**
Gara Clo. Plym —3C **28**
Garden Clo. Plymp —3A **20**
Garden Cres. Plym —1B **26** (7B **2**)
Garden Pk. Clo. Plym —2C **28**
Garden St. Plym —4H **15**
Garden Village. Plym —1A **28**
Gards La. Plym —5H **9**
Garfield Ter. Plym —5J **15**
Garrett St. Caw —7D **24**
Garrick Clo. Plym —5B **10**
Garrison Clo. Plym —7H **15**
Garrison Grn. Plym —6F **3**
Garston Clo. Plym —1B **28**
Gascoyne Ct. Plym —4G **3**
Gascoyne Pl. Plym —6D **16** (4G **3**)
Gashouse La. Plym —7E **16** (6J **3**)
Gasking St. Plym —6D **16** (4G **3**)
Gdynia Way. Plym —7F **17** (5K **3**)
Geasons La. Plym —3F **19**
Geffery Clo. Ldrke —1B **6**
George Av. Plym —2F **19**
George La. Plym —3G **19**
(in two parts)
George Pl. Plym —7A **16** (5A **2**)
George St. Plym —7J **15**
George St. La. E. Plym —7J **15**
Georgia Cres. Plym —2H **17**
Gibbon La. Plym —6D **16** (3F **3**)
Gibbon St. Plym —6D **16** (3F **3**)
Gifford Pl. Plym —4C **16**
Gifford Ter. Rd. Plym —3C **16**
Gilbert Clo. Plym —2J **19**
Gilbert La. Plym —3B **16**
Gillard Way. Lee I —3K **21**
Gill Pk. Plym —3G **17**
Gilston Rd. Salt —3K **7**
Gilwell Av. Plym —2B **28**
Gilwell Pl. Plym —6D **16** (3F **3**)
Gilwell St. Plym —6D **16** (3G **3**)
Gipsy La. Ivy —3A **22**
Glanvilles Mill Shop. Cen. Ivy
—3D **22**
Glanvilles Rd. Ivy —3E **22**
Glanville St. Plym —6C **16** (3E **2**)
Glanville Ter. Salt —3C **8**
Glebe Av. Salt —4C **8**
Glenavon Rd. Plym —3D **16**
Glenburn Clo. Plym —1D **16**
Glendower Rd. Plym —3C **16**
Gleneagle Av. Plym —2E **16**
Gleneagle Rd. Plym —2E **16**
Gleneagle Vs. Plym —2E **16**
(off Gleneagle Av.)
Glenfield Clo. Plym —1J **11**
Glenfield Rd. Plym —2H **11**
Glenfield Way. Plym —1J **11**
Glenhaven Clo. Plym —2K **19**
Glenholt Clo. Plym —1J **11**
Glenholt Pk. Plym —1J **11**
Glenholt Rd. Plym —1H **11**
Glenhurst Rd. Plym —2D **16**
Glenmore Av. Plym —3J **15**
Glen Pk. Av. Plym —5C **16** (1E **2**)
Glen Rd. Mann —3E **16**
Glen Rd. Plymp —2E **18**
Glenside Ri. Plymp —2F **19**
Glentor Rd. Plym —1D **16**
Glenwood Rd. Plym —2D **16**
Gloucester Ct. Plym —2D **2**
Gloucester Pl. Plym
—5C **16** (2D **2**)
Goad Av. Plym —7F **17**

Holloway Gdns. *Plym* —4B **28**
Hollowgutter La. *Tor* —6A **14**
Hollow Hayes. Egg —7G 11
(off Eggbuckland Rd.)
Hollows, The. *Plym* —1C **28**
Holly Ct. *Plym* —1K **17**
Hollycroft Rd. *Plym* —1F **17**
Holly Pk. Clo. *Plym* —2K **9**
Holly Pk. Dri. *Plym* —2K **9**
Hollywood Ter. *Plym* —3A **2**
Holman Ct. *Penny* —7B **10**
Holmans Bldgs. *Plym* —6G **15**
Holman Way. *Ivy* —2B **22**
Holmbush Way. *Brix* —5H **29**
Holmer Down. *Plym* —7J **5**
Holmes Av. *Plym* —3G **17**
Holmwood Av. *Plym* —4K **27**
Holne Chase. *Plym* —7G **5**
Holtwood Dri. *Ivy* —3B **22**
Holtwood Rd. *Plym* —1J **11**
Holwell Clo. *Plym* —4B **28**
Holyrood Pl. *Plym* —1C **26** (7D **2**)
Home Farm Rd. *Plym* —1K **27**
Home Pk. —3B **16**
Home Pk. *Ldrke* —1B **6**
Home Pk. Av. *Plym* —4J **15**
Home Pk. Av. *Plym* —2D **16**
Home Pk. Rd. *Salt* —4D **8**
Homer Pk. *Plym* —4H **27**
Homer Pk. *Salt* —4A **8**
Homer Pk. La. S. *Plym* —4H **27**
Homer Ri. *Plym* —2C **28**
Home Sweet Home Ter. *Plym*
—7F **17** (6K **3**)
Honcray. *Plym* —1J **27**
Honeysuckle Clo. *Plym* —7K **5**
Honicknowle Grn. *Plym* —4A **10**
Honicknowle La. *Plym* —6A **10**
Honiton Clo. *Plym* —4A **10**
Honiton Wlk. *Plym* —3A **10**
Hooe Hill. *Plym* —4H **27**
Hooe Lake. *Caw* —5E **24**
Hooe La. *Stad* —5H **27**
Hooe Rd. *Plym* —3G **27**
Hooksbury Av. *Plym* —5J **19**
Hooper Clo. *Ldrke* —2B **6**
Hopton Clo. *Plym* —7E **10**
Hornbeam Clo. *Latch* —4J **7**
Hornbrook Gdns. *Plym* —1C **10**
Hornby St. *Plym* —4J **15**
Hornchurch La. *Plym* —3H **9**
Hornchurch Rd. *Plym* —2H **9**
Horn Cross Rd. *Plym* —2K **27**
Horn La. *Brix* —4H **29**
Horn La. *Plym* —2K **27**
Horn La. Flats. *Plym* —2A **28**
Horsham La. *Plym* —5B **10**
Horsham La. *Tam F* —6A **4**
(in three parts)
Horswell Clo. *Plym* —3J **19**
Hosford Clo. *Plym* —5A **28**
Hospital Rd. *Plym* —5E **16** (2H **3**)
Hotham Pl. *Plym* —5A **16** (2A **2**)
Houldsworth Rd. *Plym* —2H **27**
Houndiscombe Rd. *Plym*
—5D **16** (1F **3**)
Hounster Dri. *Mill* —5A **24**
Hounster Hill. *Mill* —4A **24**
Housman Clo. *Plym* —4C **10**
Howard Clo. *Plym* —5J **9**
Howard Clo. *Salt* —4A **8**
Howard Ct. *Plym* —7B **2**
Howard Rd. *Plym* —1K **27**
Howards Way. *Wood* —2B **22**
How St. *Plym* —7D **16** (5F **3**)
Humber Clo. *Plym* —2J **17**
Hungerford Rd. *Plym* —2A **16**
Hunsdon Rd. *Lee I* —5A **22**
Hunter Clo. *Plym* —5E **10**
Hunters Clo. *Ivy* —3C **22**
Huntingdon Gdns. *Plym* —3C **10**
Huntley Pl. *Plym* —4H **17**

Huntley Vs. *Plym* —4H **17**
Hurrabrook Clo. *Plym* —5K **11**
Hurrabrook Gdns. *Plym* —5K **11**
Hurrell Clo. *Plym* —1C **10**
Hurrell Ct. *Plym* —3H **17**
Hursley Bungalows. *Rob* —5J **5**
Hurst Clo. *Plym* —4A **28**
Hutchings Clo. *Plym* —1C **10**
Huxham Clo. *Plym* —7F **11**
Huxley Clo. *Plymp* —1G **19**
Hyde Pk. Rd. *Plym* —3D **16**

Ilbert St. *Plym* —5B **16** (2C **2**)
Ince Clo. *Tor* —4B **14**
Inchkeith Rd. *Plym* —1E **10**
Ingra Rd. *Plym* —2F **17**
Ingra Wlk. *Rob* —6G **5**
Instow Wlk. *Plym* —4K **9**
Insworke Clo. *Mill* —3D **24**
Insworke Cres. *Mill* —3C **24**
Insworke Pl. *Mill* —3D **24**
Inverdene. *Plym* —3C **16**
Ipswich Clo. *Plym* —3B **10**
Ivanhoe Rd. *Plym* —5G **9**
Ivybridge Viaduct. —2E 22
Ivydale Rd. *Plym* —4E **16**
Ivydene Rd. *Ivy* —3C **22**

Jackmans Mdw. *Caw* —7D **24**
Jackson Clo. *Plym* —7H **9**
Jackson Pl. *Plym* —4J **15**
Jackson Way. *Salt* —4B **8**
Jago Av. *Tor* —5D **14**
James Clo. *Plym* —2C **28**
James Pl. *Plym* —5C **16** (2E **2**)
James St. *Dev* —7H **15**
James St. *Plym* —6C **16** (3E **2**)
Jasmine Gdns. *Chad* —3J **19**
Jasmine Gdns. *Plym* —1K **11**
Jean Cres. *Plym* —2G **17**
Jedburgh Cres. *Plym* —7K **9**
Jefferson Wlk. *Plym*
—5B **16** (1C **2**)
Jeffery Clo. *Plym* —1C **10**
Jenkins Clo. *Plym* —4B **28**
Jennycliff La. *Plym* —4F **27**
Jennyscombe Clo. *Plym* —5A **28**
Jephson Rd. *Plym* —5G **17**
Jessops. *Plym* —1E **18**
Jinkin Av. *Plym* —5E **16** (1J **3**)
John Gaynor Homes. *Plym* —4G **3**
Johnston Ter. La. E. *Key* —2H **15**
Johnston Ter. Ope. *Key* —2H **15**
John St. *Dev* —5H **15**
Jubilee Clo. *Ivy* —2G **23**
Jubilee Clo. *Salt* —5A **8**
Jubilee Cotts. Egg —7G 11
(off Doidges Farm Clo.)
Jubilee Cotts. *St Ste* —6A **8**
Jubilee Pl. Plym —4H 17
(off Huntley Pl.)
Jubilee Rd. *Plym* —4J **9**
Jubilee Ter. *Plym* —6G **17**
Julian Pl. *Ford* —3J **15**
Julian Rd. *Ivy* —3C **22**
Julian St. *Plym* —7F **17** (6K **3**)
Julian Wlk. *Plym* —1K **11**
Jump Clo. *Rob* —5H **5**
Juniper Way. *Plym* —3J **19**

Kathleaven St. *Plym* —6G **9**
Kay Clo. *Plymp* —1G **19**
Keaton La. *Ivy* —7D **22**
Keaton Rd. *Ivy* —4D **22**
Keat St. *Plym* —4H **15**
Kedlestone Av. *Plym* —4K **9**
Keep, The. *Latch* —5K **7**
Kelly Clo. *Plym* —1F **15**
Kelvin Av. *Plym* —5F **17** (1K **3**)

Kempe Clo. *Plym* —2J **15**
Kempton Ter. *Tor* —5E **14**
Kemyell Pl. *Plym* —4H **15**
Kendal Pl. *Plym* —3D **10**
Kenilworth Rd. *Plym* —1A **16**
Kenley Gdns. *Plym* —3J **9**
Kenmare Dri. *Plym* —3H **19**
Kenn Clo. *Plym* —4A **10**
Kennel Hill. *Plym* —4E **18**
(in two parts)
Kennel Hill Clo. *Plym* —4D **18**
Kennel La. *Ivy* —3B **22**
Kennels, The. *Ivy* —2C **22**
Kennet Clo. *Plym* —2J **17**
Kensington Pl. *Plym* —4E **16**
Kensington Rd. *Plym*
—4E **16** (1H **3**)
Kent Rd. *Plym* —3J **15**
Keppel Pl. *Plym* —4J **15**
Keppel St. *Plym* —4J **15**
Keppel Ter. Plym —4J 15
(off Keppel St.)
Kernow Clo. *Tor* —5B **14**
Ker St. *Plym* —7H **15**
Ker St. Ope. *Plym* —6H **15**
Kerswick Ct. *Salt* —3B **8**
Kestrel Pk. *Plym* —6K **9**
Kestrel Way. *Plym* —6J **5**
Keswick Cres. *Plym* —5J **11**
Keyes Clo. *Plym* —6J **15**
Keyham Rd. *Plym* —4H **15**
Keyham St. *Plym* —7H **9**
Khyber Clo. *Tor* —5D **14**
Kidwelly Clo. *Plym* —4K **19**
Kiel Pl. *Plym* —3J **17**
Killigrew Av. *Salt* —6A **8**
Kiln Clo. *Plym* —7F **9**
Kilnpark Wlk. *Wil* —2A **14**
Kimberley Cotts. Salt —4K 7
(off Thorn La.)
Kimberly Dri. *Plym* —6G **11**
King Edward Rd. *Salt* —5C **8**
Kingfisher Clo. *Plym* —1K **11**
King Gdns. *Plym* —3C **2**
Kings Ct. *Plym* —4A **2**
Kingsland Garden Clo. *Plym*
—2D **16**
Kingsley Av. *Tor* —6E **14**
Kingsley Rd. *Plym* —4D **16**
Kings Mill Rd. *Salt* —2K **7**
Kings Rd. *Dev* —6J **15**
Kings Rd. *High B* —4J **9**
King's Tamerton Rd. *Plym* —5H **9**
Kingston Clo. *Plym* —3H **19**
Kingston Dri. *Plym* —2H **19**
King St. *Mill* —4B **24**
King St. *Plym* —6A **16** (4A **2**)
King St. *Tor* —5F **15**
Kingsway Gdns. *Plym* —4E **10**
Kingswear Cres. *Plym* —6G **11**
Kingswood Pk. Av. *Plym* —2C **16**
Kinnaird Cres. *Plym* —7D **4**
Kinross Av. *Plym* —4F **17** (1K **3**)
Kinsale Rd. *Plym* —4J **9**
Kinterbury Rd. *Plym* —7E **8**
Kinterbury St. *Plym* —7D **16** (5F **3**)
Kinterbury Ter. *Plym* —7E **8**
Kinver Clo. *Plym* —3J **11**
Kipling Gdns. *Plym* —5C **10**
Kirkby Pl. *Plym* —5C **16** (2E **2**)
Kirkby Ter. *Plym* —2E **2**
Kirkdale Gdns. *Plym* —1A **16**
Kirkland Clo. *Plym* —7H **5**
Kirkstall Clo. *Plym* —1J **15**
Kirkwall Rd. *Plym* —4D **10**
(in two parts)
Kirton Pl. *Plym* —3G **17**
Kit Hill Cres. *Plym* —7F **9**
Kitley Caves & Mus. —6B 30
Kitley Caves Country Pk. —6B 30
Kitley Way. *Plym* —6G **9**
Kitter Dri. *Plym* —4A **28**

Knapps Clo. *Plym* —3D **28**
Kneele Gdns. *Plym* —7D **10**
Knighton Hill. *Wem* —2D **32**
Knighton Hill Bus. Cen. *Wem*
—2D **32**
Knighton Rd. *Plym* —6E **16** (4J **3**)
Knighton Rd. *Wem* —2C **32**
Knill Cross. *Mill* —4B **24**
Knoll, The. *Plym* —2C **18**
Knowland Clo. *Plym* —6J **15**
Knowle Av. *Plym* —2H **15**
Knowle Wlk. *Plym* —2J **15**
Kynance Clo. *Tor* —4C **14**

Laburnham Ct. *Plym* —2J **11**
(off Beech Ct.)
Laburnum Dri. *Wem* —3B **32**
Ladysmith Ct. *Plym* —5F **17** (1K **3**)
Ladysmith Rd. *Plym*
—5F **17** (1K **3**)
Ladywell Av. *Plym* —6E **16** (3G **3**)
(off Ladywell Pl.)
Ladywell Pl. *Plym* —6E **16** (3G **3**)
Laira Av. *Plym* —4J **17**
Laira Bri. Rd. *Plym* —6G **17**
Laira Gdns. *Plym* —4H **17**
Laira Pk. Cres. *Plym* —4G **17**
Laira Pk. Pl. *Plym* —4G **17**
Laira Pk. Rd. *Plym* —4G **17**
Laira Pl. *Plym* —6F **17** (4K **3**)
Laira St. *Plym* —6F **17** (4K **3**)
Laity Wlk. *Plym* —1C **10**
Lake Rd. *Plym* —3G **27**
Lakeside. Dri. *Plym* —2G **9**
Lake Vw. Clo. *Plym* —1A **10**
Lake Vw. Dri. *Plym* —1K **9**
Lake Vw. Dri. *Plym* —2K **9**
Lalebrick Rd. *Plym* —4F **27**
Lambert Rd. Tam F —1A 10
(off Station Rd.)
Lambhay Hill. *Plym* —7D **16** (6F **3**)
Lambhay St. *Plym* —1D **26** (7F **3**)
Lamerton Clo. *Plym* —4A **10**
Lamorna Pk. *Tor* —5B **14**
Lancaster Gdns. *Plym* —3C **10**
Lander Rd. *Salt* —4C **8**
Landrake Clo. *Plym* —7F **9**
Landreath Gdns. *Plym* —7C **10**
Lands Pk. *Plym* —2A **28**
Landulph Gdns. *Plym* —7F **9**
Langage Ind. Est. *Plymp* —3A **20**
Langage Pk. *Plymp* —4K **19**
Langage Science Pk. *Plymp*
—3A **20**
Langdale Clo. *Plym* —6J **11**
Langdale Gdns. *Plym* —6J **11**
Langdon Ct. *Plym* —3C **28**
Langdon Down Way. *Tor* —5B **14**
Langerwell Clo. *Lwr B* —4K **7**
Langerwell La. *Latch* —4K **7**
Lang Gro. *Plym* —2C **28**
Langham Pl. *Plym* —6F **17**
Langham Way. *Ivy* —3C **22**
Langhill Rd. *Plym* —3C **16**
Langley Clo. *Plym* —7F **5**
Langley Cres. *Plym* —7E **4**
Langmead Clo. *Plym* —7H **11**
Langmead Rd. *Plym* —7H **11**
Langmore Clo. *Plym* —7F **11**
Langstone Rd. *Plym* —1B **16**
Langstone Ter. *Plym* —1B **16**
Lanhydrock Rd. *Plym*
—6E **16** (3J **3**)
Lansdowne Rd. *Plym* —5E **10**
Lapthorn Clo. *Plym* —2H **27**
Larch Clo. *Latch* —4K **7**
Larch Dri. *Plym* —7K **5**
Larkhall Ri. *Plym* —3G **17**
Larkham Clo. *Plym* —2D **18**
Larkham La. *Plym* —2C **18**
Lark Hill. *Plym* —2K **15**

Medway Pl. *Plym* —2J **17**
Melbourne Cotts. *Plym*
　　　　　　　—6B **16** (3B **2**)
Melbourne Pl. *Plym* —2B **2**
Melbourne St. *Plym*
　　　　　　　—5B **16** (2B **2**)
Melrose Av. *Plym* —7A **10**
Melville Rd. *Plym* —3K **15**
　(off Melville Rd.)
Melville Rd. *Plym* —3K **15**
Mena Pk. Clo. *Plym* —2C **28**
Mena Pk. Rd. *Plym* —2C **28**
Menhinick Clo. *Ldrke* —2C **6**
Merafield Clo. *Plym* —3C **18**
Merafield Dri. *Plym* —4D **18**
Merafield Farm Cotts. *Plym*
　(off Merafield Rd.) —4C **18**
Merafield Ri. *Plym* —4D **18**
Merafield Rd. *Plym* —4B **18**
Meredith Rd. *Plym* —1B **16**
Merlin Clo. *Plym* —6J **5**
Merrivale Rd. *Bea P* —1K **15**
Merrivale Rd. *Hon* —4A **10**
Mersey Clo. *Plym* —2J **17**
Mews, The. *Plym* —5K **15**
Mews, The. *Tor* —6D **14**
Mewstone Av. *Wem* —4B **32**
Michael Rd. *Plym* —3F **17**
Michigan Way. *Plym* —2H **17**
Mid Churchway. *Plym* —2B **28**
Middlecombe La. *Noss M* —7G **33**
Middle Down Clo. *Plym* —4B **28**
Middlefield Clo. *Latch* —4J **2**
Middlefield Rd. *Plym* —1C **10**
Middle Leigh. *New F* —5F **33**
Middle Rd. *Wem* —3A **32**
Middleton Wlk. *Plym* —3G **9**
Miers Clo. *Plym* —7F **9**
Milch Pk. *Latch* —5K **7**
Mildmay St. *Plym* —5D **16** (2G **3**)
Milehouse Rd. *Plym* —4K **15**
Miles Mitchell Av. *Plym* —6F **11**
Milford La. *Plym & Tam F* —2K **9**
Military Rd. *Crab & Eff* —2J **17**
Military Rd. *Plym* —1H **17**
Milizac Clo. *Yeal* —5B **30**
Millbay Marina Village. *Plym*
　　　　　　　—1B **26** (7B **2**)
Millbay Rd. *Plym* —7A **16** (6A **2**)
Mill Bri. *Plym* —5A **16**
Mill Clo. *Lee I* —4K **21**
Miller Ct. *Plym* —7A **16** (6A **2**)
Miller Way. *Plym* —3H **11**
Millhouse Pk. *Tor* —6D **14**
Mill La. *Tor* —6D **14**
Mill Meadow. *Ivy* —3E **22**
Millpool Head. *Mill* —4B **24**
Millpool Rd. *Mill* —3C **24**
Mills Rd. *Plym* —6J **15**
Mill Vw. Gdns. *Mill* —4C **24**
Mill Vw. Rd. *Mill* —4C **24**
Millway Pl. *Plym* —1J **27**
Millwood Dri. *Plym* —6K **11**
Milne Pl. *Plym* —5J **15**
Milton Clo. *Plym* —5B **10**
Milton Ct. *Plym* —7F **17**
　(in two parts)
Minerva Clo. *Plym* —2H **19**
Minses Clo. *Plym* —2D **28**
Mirador Pl. *Plym* —5G **17**
Misterton Clo. *Plym* —1C **28**
Modbury Clo. *Plym* —4A **10**
Molesworth Cotts. *Plym* —4K **15**
　(off Molesworth Rd.)
Molesworth Rd. *Plym & Stoke*
　　　　　　　—4K **15**
Molesworth Rd. *Plymp* —2C **18**
Molesworth Ter. *Mill* —4C **24**
Mollison Rd. *Plym* —5H **9**
Molyneaux Pl. *Plym* —5J **15**
Moneycentre Precinct, The. *Plym*
　　　　　　　—6C **16** (3E **2**)

Monica Wlk. *Plym* —5E **16** (1H **3**)
Monmouth Gdns. *Plym* —3B **10**
Montacute Av. *Plym* —5K **9**
Montgomery Clo. *Ivy* —3F **23**
Montgomery Clo. *Salt* —4A **8**
Montpelier Rd. *Plym* —1B **16**
Monument St. *Plym* —7H **15**
Moon La. *Plym* —4G **3**
Moon La. Flats. *Plym*
　(off Moon La.) —6D **16** (4G **3**)
Moon St. *Plym* —6D **16** (4G **3**)
Moorcroft Clo. *Plym* —2B **28**
Moorfield Av. *Plym* —1H **17**
Moorland Av. *Plym* —2F **19**
Moorland Dri. *Plym* —2F **19**
Moorland Gdns. *Plym* —2G **19**
Moorland Rd. *Plym* —3F **19**
Moorlands Ind. Est. *Salt* —3K **7**
Moorlands La. *Salt* —3K **7**
Moorland Vw. *Crown* —2F **11**
Moorland Vw. *Plyms* —2C **28**
Moorland Vw. *Salt* —4C **8**
Moor La. *Plym* —6H **9**
Moor Vw. *Honc* —2J **27**
Moor Vw. *Key* —3J **15**
Moor Vw. *Laira* —4H **17**
Moor Vw. *Tor* —5E **14**
Moorview Ct. *Plym* —2A **12**
Moor Vw. Ter. *Plym* —4D **16**
Moreton Av. *Plym* —6E **10**
Morice Sq. *Plym* —6H **15**
Morice St. *Plym* —6H **15**
Morlaix Dri. *Derr* —3F **11**
Morley Clo. *Plym* —3B **18**
Morley Ct. *Plym* —6B **16** (3C **2**)
Morley Vw. Rd. *Plym* —2D **18**
Morrish Pk. *Plym* —3A **28**
Morshead Rd. *Plym* —5E **10**
Mortain Rd. *Salt* —3A **8**
Mortimore Clo. *Salt* —5A **8**
Morwell Gdns. *Plym* —2K **15**
Moses Clo. *Plym* —7D **4**
Moses Ct. *Plym* —7D **4**
　(off Moses Clo.)
Mostyn Av. *Plym* —4F **17**
Mote Pk. *Salt* —4K **7**
Mothecombe Wlk. *Plym* —6K **11**
Moulton Clo. *Plym* —3J **19**
Moulton Wlk. *Plym* —4J **19**
Mountbatten Clo. *Plym* —3J **27**
Mountbatten Way. *Plym* —3J **27**
Mount Edgcumbe Country Pk.
　　　　　　　—3J **25**
Mount Edgcumbe Formal
　　　　Gardens. —2H **25**
Mount Edgcumbe House.
　　　　　　　—3H **25**
Mt. Gould Av. *Plym* —6G **17**
Mt. Gould Cres. *Plym* —5G **17**
Mt. Gould Rd. *Plym*
　　　　　　　—5F **17** (1K **3**)
Mt. Gould Way. *Plym* —5G **17**
Mt. Pleasant. *Hon* —5A **10**
Mt. Pleasant. *Mill* —4B **24**
Mt. Stone Rd. *Plym* —1K **25**
Mount St. *Dev* —7H **15**
Mount St. *Plym* —5D **16** (3G **3**)
Mt. Tamar Clo. *Plym* —5H **9**
Mt. Wise Ct. *Plym* —7J **15**
Mowhay Rd. *Plym* —7J **9**
　(in two parts)
Mudge Way. *Plym* —3F **19**
Mulberry Clo. *Plym* —7K **5**
Mulberry Rd. *Salt* —5B **8**
Mulgrave St. *Plym* —7C **16** (6D **2**)
Mullet Av. *Laira* —4H **17**
Mullet Clo. *Laira* —4H **17**
Mullet Rd. *Laira* —4H **17**
Mullion Clo. *Tor* —4C **14**
Murdock Rd. *Tor* —5C **14**
Mutley Plain. *Plym* —4D **16**
Mutley Plain La. *Plym* —4D **16**

Mutley Rd. *Plym* —3D **16**
Mylor Clo. *Plym* —7C **10**
Myrtle Ville. *Plym* —1K **15**

Nancarrows. *Bur C* —5K **7**
Napier St. *Plym* —5J **15**
Napier Ter. *Plym* —4D **16** (1F **3**)
Nash Clo. *Plym* —3H **19**
National Marine Aquarium.
　　　　　　　—7E **16** (6H **3**)
National Shire Horse Cen., The.
　　　　　　　—5F **31**
Neal Clo. *Plym* —4J **19**
Neath Rd. *Plym* —5F **17**
Nelson Av. *Plym* —5J **15**
Nelson Gdns. *Plym* —5J **15**
Nelson St. *Plym* —5D **16** (2G **3**)
Nelson Ter. *Plym* —1K **11**
Nepean St. *Plym* —3J **15**
Neswick St. *Plym* —6A **16** (4A **2**)
Neswick St. Ope. *Plym*
　　　　　　　—6A **16** (4A **2**)
Nettlehayes. *Plym* —2E **28**
Netton Clo. *Plym* —3C **28**
Nevada Clo. *Plym* —2J **17**
New Barn Hill. *Plymp* —5F **19**
Newbury Clo. *Plym* —3A **10**
Newcastle Gdns. *Plym* —2A **10**
New George St. *Plym*
　　　　　　　—6B **16** (4C **2**)
Newman Rd. *Plym* —5H **9**
Newman Rd. *Salt* —4C **8**
New Mdw. *Ivy* —2B **22**
Newnham Clo. *Plym* —1H **19**
Newnham Ind. Est. *Plymp* —1H **19**
Newnham Rd. *Plym* —2F **19**
Newnham Way. *Plym* —2G **19**
New Pk. Rd. *Lee B* —4F **21**
New Pk. Rd. *Plym* —4H **19**
New Passage Hill. *Dev* —5H **15**
Newport St. *Mill* —4B **24**
Newport St. *Plym* —7K **15**
New Rd. *Caw* —6D **24**
　(in two parts)
New Rd. *Ldrke & Salt* —4A **8**
New Rd. *Rob* —4H **5**
New Rd. *Yeal* —5C **30**
New Rd. Ter. *Ldrke* —1B **6**
New St. *Mill* —4B **24**
New St. *Plym* —7D **16** (6F **3**)
　(in two parts)
Newton Av. *Plym* —5H **9**
Newton Clo. *New F* —5H **33**
Newton Gdns. *Plym* —5J **9**
Newton Hill. *New F* —5G **33**
New Wood Clo. *Plym* —6K **5**
New Zealand Ho. *Plym* —4A **16**
Nicholson Rd. *Plym* —5D **10**
Nightingale Clo. *Plym* —1D **28**
Nirvana Clo. *Ivy* —3D **22**
Norfolk Clo. *Plym* —3H **17**
Norfolk Rd. *Plym* —4H **17**
Normandy Hill. *Plym* —5E **8**
Normandy Way. *Plym* —5F **9**
Northampton Clo. *Plym* —2A **10**
North Cross. *Plym* —5C **16** (2D **2**)
N. Down Cres. *Plym* —2J **15**
N. Down Gdns. *Plym* —2J **15**
N. Down Rd. *Plym* —2A **16**
Northesk St. *Plym* —4K **15**
North Hill. *Plym* —5D **16** (2F **3**)
Northolt Av. *Plym* —3G **9**
North Pk. Vs. *Salt* —3K **7**
N. Prospect Rd. *Plym* —7J **9**
North Quay. *Plym* —7D **16** (5G **3**)
North Rd. *Ldrke* —1B **6**
North Rd. *Lee I* —3J **21**
North Rd. *Salt* —4C **8**
North Rd. *Tor* —6D **14**
North Rd. E. *Plym* —5C **16** (2D **2**)
North Rd. W. *Plym* —6A **16** (3A **2**)

North St. *Plym* —6D **16** (4G **3**)
　(in two parts)
Northumberland St. *Plym* —7H **9**
Northumberland Ter. *Plym*
　　　　　　　—1B **26** (7C **2**)
N. Weald Gdns. *Plym* —2H **9**
Norton Av. *Plym* —5F **17** (1K **3**)
Norwich Av. *Plym* —2K **9**
Notre Dame Clo. *Plym* —2E **10**
Notte St. *Plym* —7C **16** (6D **2**)
Nottingham Gdns. *Plym*
　(off Alton Pl.) —4D **16** (1G **3**)
Novorossisk Rd. *Plym* —6J **11**
Nursery Clo. *Tam F* —7A **4**

Oak Apple Clo. *Plym* —1C **18**
Oakcroft Rd. *Plym* —2A **16**
Oakdene Ri. *Plym* —3A **28**
Oak Dri. *Plym* —4D **18**
Oakfield Clo. *Plym* —2K **19**
Oakfield Pl. *Plym* —7G **17**
Oakfield Rd. *Plym* —2D **18**
Oakfield Ter. Rd. *Plym* —7F **17**
Oak Gdns. *Ivy* —3F **23**
Oakham Rd. *Plym* —2A **10**
Oaklands Clo. *Plym* —7H **5**
Oaklands Dri. *Salt* —4K **7**
Oaklands Grn. *Salt* —5K **7**
Oaktree Clo. *Ivy* —3B **22**
Oaktree Ct. *Plym* —6E **10**
Oak Tree Pk. *Plym* —1J **11**
Oakwood Clo. *Plym* —7J **5**
Oates Rd. *Plym* —3A **16**
Ocean Ct. *Plym* —1J **25**
Ocean St. *Plym* —2H **15**
Octagon St. *Plym* —6B **16** (4B **2**)
Octagon, The. *Plym* —7B **16** (5B **2**)
Okehampton Clo. *Plym* —4J **19**
Okehampton Way. *Ivy* —4E **22**
Old Farm Rd. *Plym* —7F **9**
Old Ferry Rd. *Salt* —4C **8**
Old George St. *Plym*
　　　　　　　—7C **16** (5D **2**)
Old Laira Rd. *Plym* —4G **17**
Oldlands Clo. *Plym* —1G **11**
Old Laundry, The. *Plym*
　　　　　　　—6A **16** (3A **2**)
Old Mill Ct. *Plym* —3F **19**
Old Pk. Rd. *Plym* —2C **16**
Old Priory. *Plym* —3E **18**
Old Rd. *Brix* —4H **29**
Old School Rd. *Plym* —7F **9**
Old Town St. *Plym* —6D **16** (4E **2**)
Old Warleigh La. *Tam F* —7A **4**
Old Wharf, The. *Plym* —2G **27**
Old Woodlands Rd. *Plym* —4B **10**
Onslow Rd. *Plym* —1B **16**
Orchard Av. *Plym* —1G **17**
Orchard Clo. *Plym* —3K **19**
Orchard Clo. *Yeal* —6C **30**
Orchard Ct. *Wood* —3C **22**
Orchard Cres. *Plym* —2H **27**
Orchard Hill. *Yeal* —4F **31**
Orchard Rd. *Plym* —1K **15**
Orchard, The. *Yeal* —6C **30**
Orchardton Ter. *Plym* —4A **28**
Orchard Vs. *Plym* —2F **19**
Orchid Av. *Wood* —2B **22**
Ordnance Way. *Plym* —6G **15**
Oregon Way. *Plym* —2H **17**
Oreston Quay. *Plym* —2G **27**
Oreston Rd. *Plym* —2H **27**
Osborne Pl. *Plym* —1C **26** (7D **2**)
Osborne Rd. *Plym* —5K **15**
Osborne Vs. *Plym* —5K **15**
Osprey Gdns. *Plym* —1D **28**
Outland Rd. *Plym* —3A **16**
Overdale Rd. *Plym* —1J **15**
Overton Gdns. *Plym* —3E **16**
Oxford Av. *Plym* —3D **16**
Oxford Gdns. *Plym* —3D **16**

Raleigh Ct. *Plym* —2J **19**
Raleigh Rd. *Wood* —2B **22**
Raleigh St. *Plym* —6B **16** (4C **2**)
Ramage Clo. *Plym* —4A **12**
Ramillies Av. *Plym* —3K **9**
Randwick Pk. Rd. *Plym* —2J **27**
Raphael Clo. *Plym* —3B **28**
Raphael Dri. *Plym* —3B **28**
Rashleigh Av. *Plym* —1F **19**
Rashleigh Av. *Salt* —6A **8**
Rawlin Clo. *Plym* —7H **11**
Raymond Way. *Plym* —2E **18**
Raynham Rd. *Plym* —5A **16** (1A **2**)
Reading Wlk. *Plym* —3B **10**
Recreation Rd. *Plym* —1B **16**
Rectory Rd. *Plym* —6K **15**
Reddicliff Clo. *Plym* —4J **27**
Reddicliff Rd. *Plym* —4H **27**
Reddington Rd. *Plym* —1F **17**
Redhill Clo. *Plym* —3H **9**
Red Lion Hill. *Brix* —4H **29**
Redruth Clo. *Plym* —2K **9**
Redwing Dri. *Plym* —6J **5**
Redwood Dri. *Plym* —3J **19**
Regal Ct. Salt —5C **8**
(off Fore St.)
Regent St. *Plym* —6D **16** (3F **3**)
Reigate Rd. *Plym* —1K **27**
Rendlesham Gdns. *Plym* —4K **11**
Rendlesham Rd. *Plym* —4K **11**
Rendle St. *Plym* —6A **16** (4A **2**)
Rennie Av. *Plym* —6F **9**
Renny Rd. *Down T* —7H **27**
Renoir Clo. *Plym* —3B **28**
Renown St. *Plym* —2H **15**
Research Way. *Derr* —3H **11**
Reservoir Cres. *Plym* —2C **28**
Reservoir La. *Plym* —2E **16**
Reservoir Rd. *Hart* —2E **16**
Reservoir Rd. *Plym* —3C **28**
Reservoir Way. *Plym* —2C **28**
Restormel Rd. *Plym*
　　　　　　　—5C **16** (1E **2**)
Restormel Ter. *Plym* —1E **2**
Retreat, The. *Plym* —1G **17**
Revell Pk. Rd. *Plym* —2E **18**
Revel Rd. *Plym* —2F **17**
Revelstoke Rd. *Noss M* —6G **33**
Reynolds Gro. *Plym* —7F **9**
Reynolds Rd. *Plym* —2D **18**
Rheola Gdns. *Plym* —4J **11**
Rhodes Clo. *Plym* —1F **19**
Ribble Gdns. *Plym* —1J **17**
Richardson Dri. *Yeal* —3K **33**
Richmond Rd. *Plym* —5F **11**
Richmond Wlk. *Plym* —1H **25**
Ride, The. *Plym* —7H **17**
Ridge Pk. *Plym* —3F **19**
Ridge Pk. Av. *Plym* —4C **16**
Ridge Pk. Rd. *Plym* —3F **19**
Ridge Rd. *Plym* —5D **18**
Ridge Rd. *Plymp* —5G **19**
(in two parts)
Ridgeway. *Plym & Plymp* —3E **18**
Ridgeway. *Salt* —6A **8**
Riga Ter. *Plym* —4H **17**
Rigdale Clo. *Plym* —1F **17**
Ringmore Way. *Plym* —3K **9**
Risdon Av. *Plym* —7G **17**
Riverford. *Plym* —7J **5**
Rivers Clo. *Ivy* —3F **23**
Riverside Bus. Pk. *Dev* —5H **15**
Riverside Cvn. Pk. *Plym* —7A **12**
Riverside Cotts. *St Ste* —6K **7**
Riverside Cotts. *Salt* —4D **8**
Riverside Pl. Plym —6G **15**
(off Cannon St.)
Riverside Rd. *New F* —6G **33**
Riverside Rd. E. *New F* —6G **33**
Riverside Wlk. *Tam F* —1A **10**
Riverside Wlk. *Yeal* —5D **30**
Riversleigh. *Crab* —3K **17**

Rivers, The. *Salt* —6B **8**
River Vw. *Prin R* —7G **17**
River Vw. *Salt* —4C **8**
River Vw. La. *Plym* —7F **17**
Robert Adams Clo. *Plym* —3B **18**
Roberts Av. *Tor* —5E **14**
Roberts Rd. *Plym* —7F **9**
Robins Way. *Plym* —1K **27**
Roborough Av. *Plym* —2G **11**
Roborough Clo. *Plym* —2G **11**
Roborough Down La. *Rob* —1K **5**
Roborough La. *Tam F* —6B **4**
Robyns Clo. *Plym* —3J **19**
Rochester Rd. *Plym*
　　　　　　　—5D **16** (1G **3**)
Rochford Cres. *Plym* —2J **9**
Rockdale Rd. *Yeal* —6D **30**
Rockfield Av. *Plym* —1E **10**
Rock Gdns. *Plym* —7J **17**
Rock Hill. *Tam F* —1B **10**
Rockingham Rd. *Plym* —3F **17**
Rock Ter. *Plym* —4E **18**
Rockville Pk. *Plym* —1K **27**
Rockwood Rd. *Plym* —6K **5**
Rocky Pk. Av. *Plym* —1K **27**
Rocky Pk. Rd. *Plym* —2K **27**
Roddick Way. *Plymp* —3K **19**
Rodney St. *Plym* —7G **9**
Roeselare Av. *Tor* —5D **14**
Roeselare Clo. *Tor* —5D **14**
Rogate Dri. *Plym* —3J **11**
Rogate Wlk. *Plym* —3J **11**
Roland Matthews Ct. Plym —4H **15**
(off Boscawen Pl.)
Rollis Pk. Clo. *Plym* —1H **27**
Rollis Pk. Rd. *Plym* —1H **27**
Rolston Clo. *Plym* —1C **10**
Roman Rd. *Plym* —6H **9**
Roman Way. *Plym* —5H **9**
Romilly Gdns. *Plym* —3C **18**
Romney Clo. *Plym* —6A **10**
Ronald Ter. *Plym* —3J **15**
Ronsdale Clo. *Plym* —1J **27**
Roope Clo. *Plym* —1F **15**
Roper Av. *Plym* —1J **27**
Rope Wlk. *Plym* —7E **16** (6G **3**)
Rorkes Clo. *Plym* —5H **9**
Rosebery Av. *Plym* —5F **17** (2K **3**)
Rosebery La. *Plym* —5F **17** (1K **3**)
Rosebery Rd. *Plym* —5F **17** (2K **3**)
Roseclave Clo. *Plym* —2K **19**
Rose Cotts. *Egg* —7G **11**
Rosedale Av. *Plym* —1C **16**
Rosedown Av. *Plym* —1K **15**
Rose Gdns. *Plym* —1K **11**
Rose Hill. *Wem* —4B **32**
Rosehip Clo. *Plym* —7K **5**
Rosevean Ct. *Plym* —2E **16**
Rosevean Gdns. *Plym* —2E **16**
Roseveare Clo. *Plym* —1B **28**
Rosewood Clo. *Plym* —4A **28**
Rospeath Cres. *Plym* —7C **10**
Rosslyn Pk. Rd. *Plym* —3C **16**
Ross St. *Plym* —4H **15**
(in two parts)
Rothbury Clo. *Plym* —3K **11**
Rothbury Gdns. *Plym* —3J **11**
Rothesay Gdns. *Plym* —4B **10**
Rougemont Clo. *Plym* —1G **17**
Rowan Clo. *Plym* —3J **19**
Rowan Ct. *Latch* —5K **7**
Rowan Way. *Plym* —7K **5**
Rowden St. *Plym* —3D **16**
Row Down Clo. *Plymp* —4A **20**
Rowe St. *Plym* —6G **16** (3E **2**)
Rowe St. *Tor* —5E **14**
Rowland Clo. *Plym* —4K **27**
Row La. *Plym* —5H **9**
Royal Albert Bridge. —5E 8
Royal Citadel. —1D 26 (7F 3)
Royal Navy Av. *Plym* —3H **15**
Royal Pde. *Plym* —7C **16** (5D **2**)

Royal William Rd. *Plym* —1K **25**
Rudyerd Wlk. *Plym* —2H **17**
Rue St Pierre. *Ivy* —3F **23**
Rufford Clo. *Plym* —1K **15**
Ruskin Cres. *Plym* —5C **10**
Russell Av. *Plym* —1E **16**
Russell Clo. *Plym* —2C **28**
Russell Clo. *Salt* —4K **7**
Russell Pl. *Plym* —5C **16** (1D **2**)
Russet Wood. *Plym* —3J **9**
Rutger Pl. *Plym* —5A **16**
Ruthven Clo. *Plym* —7E **10**
Rutland Rd. *Plym* —4E **16**
Rydal Clo. *Plym* —5J **11**
Ryder Rd. *Plym* —3J **15**
(in two parts)
Rye Hill. *Latch* —5K **7**
Ryeland Clo. *Wem* —3C **32**

St Andrew Ct. *Plym* —5E **2**
St Andrew Pl. *Plym* —7C **16** (5E **2**)
St Andrew's Clo. *Salt* —5K **7**
St Andrew's Cross. *Plym*
　(PL1)　　　—7C **16** (5E **2**)
St Andrew's Cross. *Plym*
　(PL4)　　　—7E **16** (5J **3**)
St Andrew's. *Caw & Mill*
　　　　　　　—7D **24**
St Andrew St. *Mill* —4A **24**
St Andrew St. *Plym* —7C **16** (5E **2**)
St Anne's Rd. *Plym* —1J **11**
St Anne's Rd. *Salt* —4B **8**
St Aubyn Av. *Plym* —3J **15**
St Aubyn Rd. *Plym* —6H **15**
St Aubyn St. *Plym* —6H **15**
St Austin Clo. *Ivy* —3D **22**
St Barnabas Ter. *Plym*
　　　　　　　—5A **16** (2A **2**)
St Boniface Clo. *Plym* —1B **16**
St Boniface Dri. *Plym* —1B **16**
St Bridget Av. *Plym* —6E **10**
St Budeaux By-Pass. *Plym* —7H **9**
St Catherines Pk. *New F* —5H **33**
St Dunstan's Ter. *Plym*
　　　　　　　—6F **17** (3K **3**)
St Edward Gdns. *Plym* —6G **11**
St Elizabeth Clo. *Plym* —4G **19**
St Erth Rd. *Plym* —1C **16**
St Eval Pl. *Plym* —3H **9**
St Francis Ct. *Plym* —4K **9**
St Gabriel's Av. *Plym* —3C **16**
St George's Av. *Plym* —1B **16**
St George's Rd. *Salt* —4A **8**
St George's Ter. *Plym* —4J **15**
St Helen's Wlk. *Plym* —2B **10**
St Hilary Ter. *St Jud* —6F **17** (3K **3**)
St James Ct. Tor —5E **14**
(off St James Rd.)
St James Pl. E. *Plym*
　　　　　　　—7B **16** (6C **2**)
St James Pl. W. *Plym*
　　　　　　　—7B **16** (6C **2**)
St James Rd. *Tor* —6E **14**
St John's Bri. Rd. *Plym*
　　　　　　　—7E **16** (6J **3**)
St John's Clo. *Ivy* —3C **22**
St Johns Clo. *Mill* —4B **24**
St John's Clo. *Plym* —3J **11**
St John's Dri. *Plym* —3J **11**
St John's Rd. *Catt* —7E **16** (5J **3**)
(in two parts)
St John's Rd. *Ivy* —3C **22**
St John's Rd. *Mill* —3B **24**
St John's Rd. *Turn* —3F **27**
St John's St. *Plym* —7E **16** (5J **3**)
St Joseph's Clo. *Plym* —6E **10**
St Judes Rd. *Plym* —7E **16** (5J **3**)
St Keverne Pl. *Plym* —7C **10**
St Lawrence M. *Plym* —1F **3**
St Lawrence Rd. *Plym*
　　　　　　　—5D **16** (1F **3**)

St Leonards Rd. *Plym*
　　　　　　　—7F **17** (5K **3**)
St Leo Pl. *Plym* —4H **15**
St Levan Rd. *Plym* —3H **15**
St Margarets Rd. *Plym* —1B **18**
St Marks Rd. *Plym* —2J **11**
St Martin's Av. *Plym* —1C **16**
St Mary's Clo. *Plym* —3E **18**
St Mary's Ct. *Plym* —3E **18**
St Mary's Rd. *Plym* —2D **18**
St Mary St. *Plym* —6A **16**
St Maurice M. *Plym* —4F **19**
St Maurice Rd. *Plym* —5G **19**
St Maurice Vw. *Plym* —4J **19**
St Mawes Ter. *Plym* —3J **15**
St Michael Av. *Plym* —3J **15**
St Michael's Clo. *Plym* —7H **15**
St Michael's Ter. *Stoke* —5J **15**
St Michael's Ter. La. *Plym*
　　　　　　　—5C **16** (2D **2**)
St Modwen Rd. *Plym* —1K **17**
St Nazaire App. *Plym* —6J **15**
St Nazaire Clo. Plym —6J **15**
(off St Nazaire App.)
St Pancras Av. *Plym* —6B **10**
St Paul's Clo. *Plym* —3H **17**
St Paul St. *Plym* —1K **25**
St Peter Clo. *Plym* —4G **19**
St Peters Rd. *Plym* —5B **10**
St Peter's Way. *Ivy* —4F **23**
St Stephen's Hill. *St Ste* —6K **7**
St Stephen's Pl. *Plymp* —3F **19**
St Stephen's Rd. *Plym* —5G **19**
St Stephen's Rd. *Salt* —6A **8**
St Stephen's St. *Plym* —7J **15**
St Thomas Clo. *Plym* —5G **19**
St Vincent St. *Plym* —4H **15**
St Werburgh Clo. *Wem* —4B **32**
Salamanca St. *Tor* —5E **14**
Salcombe Rd. *Plym* —4E **16** (1J **3**)
Salisbury Ho. *Plym* —4A **16**
Salisbury Ope. *Plym* —3A **16**
Salisbury Rd. *Plym* —6E **16** (3H **3**)
Saltash By-Pass. *Salt* —3J **7**
Saltash Ind. Est. *Salt* —4J **7**
Saltash Parkway Ind. Est. *Salt*
　　　　　　　—3J **7**
Saltash Rd. *Key* —3G **15**
Saltash Rd. *Plym* —5C **16** (1C **2**)
Saltburn Rd. *Plym* —5F **9**
Saltmill Rd. *Salt* —3C **8**
Saltram House. —4B 18
Saltram Ter. *Lee M & Plym* —3E **18**
Sandford Rd. *Plym* —1A **28**
Sandon Wlk. Plym —6F **11**
(off Boddington La.)
Sandy La. *Ivy* —3E **22**
Sandy Rd. *Plymp* —4K **19**
Sango Ct. *Mill* —3C **24**
Sango Rd. *Tor* —6D **14**
Sarum Clo. *Plym* —1E **16**
Saunders Wlk. *Plym* —1C **10**
Savage Rd. *Plym* —7F **9**
Savery Clo. *Ivy* —2F **23**
Savery Ter. *Plym* —4F **17**
Sawrey St. *Plym* —7A **16** (5A **2**)
School Clo. *Plym* —1E **18**
School Dri. *Plym* —7J **5**
School La. *Plymp* —4F **19**
School Rd. *Ldrke* —1B **6**
Sconner Rd. *Tor* —5D **14**
Scott Av. *Plym* —7F **9**
Scott Rd. *Plym* —3A **16**
Scotts Cotts. Plym —1J **27**
(off Honcray)
Seacroft Rd. *Plym* —5F **9**
Seaton Av. *Plym* —4D **16**
Seaton La. *Plym* —4D **16**
Seaton Pl. *Plym* —3J **15**
Sea Vw. Av. *Plym* —5F **17** (1K **3**)
Sea Vw. Dri. *Wem* —3B **32**
Sea Vw. Ter. *Plym* —5F **16** (2J **3**)

Third Av. *Cam H* —1H **15**
Third Av. *Stoke* —6K **15**
Thirlmere Clo. *Plym* —3D **10**
Thistle Clo. *Plym* —7K **5**
Thornbury Pk. Av. *Plym* —2C **16**
Thornbury Rd. *Plym* —3K **11**
Thornhill Rd. *Plym* —2D **16**
Thornhill Way. *Plym* —2D **16**
Thorn La. *Salt* —4K **7**
Thorn Pk. *Plym* —3D **16**
Thornton Av. *Plym* —5E **16** (2J **3**)
Thornville Ter. *Plym* —2H **27**
Thornwell La. *Trem* —4F **7**
Thornyville Clo. *Plym* —1H **27**
Thornyville Dri. *Plym* —2H **27**
Thornyville Vs. *Plym* —2H **27**
Thurlestone Wlk. *Plym* —6J **11**
Tideford Rd. *Ldrke* —2B **6**
Tillard Clo. *Plym* —3K **19**
Tilly Clo. *Plym* —5A **28**
Tincombe. *Salt* —5K **7**
Tincombe Nature Reserve. —5A **8**
Tin La. *Plym* —7D **16** (5G **3**)
Tin St. *Plym* —7D **16** (5G **3**)
Tintagel Cres. *Plym* —7B **10**
Tintern Av. *Plym* —7F **17** (5K **3**)
Tithe Rd. *Plym* —1B **18**
Tiverton Clo. *Plym* —6G **5**
Tobruk Rd. *Salt* —4B **8**
Tollbar Clo. *Ivy* —3G **23**
Tollox Pl. *Plym* —4G **17**
Tom Maddock Gdns. *Ivy* —4F **23**
Torbridge Clo. *Salt* —5A **8**
Torbridge Rd. *Plym* —1F **19**
Torbryan Clo. *Plym* —7K **11**
Tor Clo. *Plym* —1D **16**
Tor Cres. *Plym* —1D **16**
Toriana Pl. *Plym* —2E **18**
(off Colebrook Rd.)
Torland Rd. *Plym* —1D **16**
Tor La. *Plym* —1C **16**
Tor La. *St Ste* —6K **7**
Torr Bri. Pk. *Yeal* —5D **30**
Torre Clo. *Ivy* —3G **23**
Torr Hill. *Yeal* —5C **30**
Torridge Clo. *Plym* —2H **19**
Torridge Rd. *Plym* —2G **19**
Torridge Way. *Plym* —3H **17**
Torr La. *Yeal* —6D **30**
Tor Rd. *Plym* —1D **16**
Torr Vw. Av. *Plym* —1C **16**
Torver Clo. *Plym* —5J **11**
Tory Brook Av. *Plymp* —2F **19**
Tory Brook Ct. *Plym* —2F **19**
(off Chamberlayne Dri.)
Tory Way. *Plym* —2E **18**
Tothill Av. *Plym* —6E **16** (3H **3**)
Tothill Rd. *Plym* —6E **16** (4J **3**)
Totnes Clo. *Plym* —4J **19**
Tower Ct. *Lwr B* —5K **7**
Towerfield Dri. *Plym* —6H **5**
Towers Clo. *Plym* —5A **12**
Tower Vw. *Salt* —6A **8**
Townshend Av. *Plym* —3H **15**
Townswell Clo. *Trem* —3F **7**
Tracey Ct. *Plym* —3C **2**
Trafalgar Clo. *Plym* —7G **9**
Trafalgar Pl. La. *Stoke* —5J **15**
Trafalgar St. *Plym* —6D **16** (4G **3**)
Train Rd. *Wem* —1C **32**
Tramway Rd. *Plym* —7J **5**
Transit Way. *Plym* —4B **10**
Trayes Ter. La. *Plym* —6G **17**
Treby Rd. *Plym* —4E **18**
Tredinnick La. *Ldrke* —3A **6**
Trefusis Gdns. *Plym* —4F **17**
Trefusis Ter. *Mill* —3B **24**
Tregenna Clo. *Plym* —4K **19**
Tregoning Rd. *Tor* —6C **14**
Trehill Rd. *Ivy* —3E **22**
Trelawney Av. *Plym* —6G **9**

Trelawney Clo. *Tor* —5B **14**
Trelawney La. *Plym* —3C **16**
Trelawney Pl. *Plym* —6G **9**
Trelawney Ri. *Tor* —5B **14**
Trelawney Rd. *Pev* —3C **16**
Trelawney Rd. *Salt* —5B **8**
Trelawney Way. *Tor* —5B **14**
Trelawny Rd. *Plymp* —2D **18**
Treloweth Clo. *Plym* —7C **10**
Trematon Clo. *Tor* —4B **14**
Trematon Dri. *Ivy* —3F **23**
Trematon Ter. *Plym* —4D **16**
Trencher La. *Caw* —7A **24**
Trendlewood Rd. *Plym* —7J **5**
Trengrouse Av. *Tor* —5C **14**
Trent Clo. *Plym* —2G **17**
Trentham Clo. *Plym* —1G **11**
Tresillian St. *Plym* —7F **17** (6K **3**)
Tresluggan Rd. *Plym* —6G **9**
Tretower Clo. *Plym* —2E **10**
Trevannion Clo. *Plym* —7F **11**
Treveneague Gdns. *Plym* —7C **10**
Treverbyn Clo. *Plymp* —2E **18**
Treverbyn Rd. *Plym* —2E **18**
Trevessa Clo. *Plym* —7C **10**
Trevithick Av. *Tor* —4B **14**
Trevithick Rd. *Plym* —6H **9**
Trevol Bus. Pk. *Tor* —5A **14**
Trevollard La. *Salt* —6E **6**
Trevol Pl. *Tor* —6B **14**
Trevol Rd. *Tor* —5A **14**
Trevone Gdns. *Plym* —7C **10**
Trevorder Clo. *Tor* —6C **14**
Trevorder Rd. *Tor* —6C **14**
Trevose Way. *Plym* —2H **17**
Trewint La. *Ldrke* —3A **6**
Trewithy Ct. *Plym* —6E **10**
Trewithy Dri. *Plym* —6E **10**
Trinnaman Clo. *Ivy* —4E **22**
Trowbridge Clo. *Plym* —3B **10**
Trumpers Clo. *Wood* —2B **22**
Truro Clo. *Plym* —2K **9**
Tucker Clo. *Plym* —7J **9**
Tuckers Clo. *Yeal* —5D **30**
Tudor Clo. *Plym* —4K **27**
Tudor Ct. *Salt* —5D **8**
Turbill Gdns. *Plym* —3J **19**
Turnquay. *Plym* —2G **27**
Turret Gro. *Plym* —4E **16**
Tuxton Clo. *Plym* —5J **19**
Two Hills Pk. *Latch* —5K **7**
Tylney Clo. *Plym* —1G **11**
Tyndale Clo. *Plym* —6A **10**
Tything Wlk. *Plym* —2D **16**

Ugborough Rd. *Bltt* —2K **23**
Ullswater Cres. *Plym* —2D **10**
Undercliff Rd. *Turn* —2G **27**
Underhay. *Yeal* —5B **30**
Underhill Rd. *Plym* —4K **15**
Underhill Vs. *Plym* —5K **15**
Underlane. *Plymp* —3C **18**
Underlane. *Plyms* —3J **27**
Underwood Rd. *Plym* —3E **18**
Union Pl. *Plym* —7A **16** (5A **2**)
(in two parts)
Union St. *Plym* —7A **16** (5A **2**)
Unity Clo. *Plym* —2J **11**
Uphill Clo. *Ivy* —3F **23**
Upland Dri. *Plym* —2E **10**
Upland Gdns. *Wem* —2C **32**
Uplands. *Salt* —6B **8**
Up. Ridings. *Plym* —1J **19**
Upperton La. *Rob* —2K **5**
Upton Clo. *Plym* —1G **17**
Uxbridge Dri. *Plym* —3H **9**

Vaagso Clo. *Plym* —6H **15**
Valiant Av. *Plym* —3K **9**
Valletort Bldgs. *Plym* —5A **2**

Valletort Cotts. *Plym* —5K **15**
Valletort Flats. *Stone* —6K **15**
(off Valletort Pl.)
Valletort La. *Plym* —5K **15**
Valletort Pl. *Stone* —6K **15**
Valletort Rd. *Plym* —5K **15**
Valletort Ter. *Plym* —5A **16**
(off Valletort Rd.)
Valley Dri. *Wem* —3B **32**
Valley Rd. *Plym* —3C **18**
Valley Rd. *Salt* —5B **8**
Valley Vw. *Wool* —7J **5**
Valley Vw. Clo. *Plym* —1G **17**
Valley Vw. Rd. *Plym* —1G **17**
Valley Wlk. *Plym* —1J **11**
Vapron Rd. *Plym* —2D **16**
Vauban Pl. *Plym* —4J **15**
Vaughan Clo. *Plym* —1B **16**
Vauxhall Ct. *Plym* —5F **3**
Vauxhall Quay. *Plym*
—7D **16** (5G **3**)
Vauxhall St. *Plym* —7D **16** (6E **2**)
Vauxhall St. Flats. *Plym* —5G **3**
Veasypark. *Wem* —3C **32**
Venn Clo. *Plym* —2D **16**
Venn Ct. *Brix* —5H **29**
Venn Ct. *Plym* —2D **16**
Venn Cres. *Plym* —2D **16**
Venn Dri. *Brix* —5H **29**
Venn Gdns. *Plym* —1D **16**
Venn Gro. *Plym* —1D **16**
Venn La. *Plym* —2B **16**
Venn Way. *Plym* —1D **16**
Vermont Gdns. *Plym* —1J **15**
Verna Pl. *Plym* —5G **9**
Verna Rd. *Plym* —5G **9**
Vicarage Gdns. *Plym* —5E **8**
Vicarage Hill. *Holb* —7K **31**
Vicarage Rd. *Plym* —3D **18**
Vicarage Rd. *Tor* —6E **14**
Victoria Av. *Plym* —5A **16** (2A **2**)
Victoria Cotts. *Egg* —7G **11**
Victoria Cotts. *Salt* —4B **8**
Victoria La. *Salt* —5C **8**
Victoria Pl. *Stoke* —4J **15**
Victoria Pl. *Stone* —7A **16**
(off Millbay Rd.)
Victoria Rd. *Plym* —6G **9**
Victoria Rd. *Salt* —5C **8**
Victoria St. *Tor* —5E **14**
Victoria Ter. *Plym* —5D **16** (1E **2**)
Victoria Wharf. *Plym* —7J **3**
Victory St. *Plym* —2H **15**
Village Dri. *Plym* —5H **5**
Villiers Clo. *Plym* —2J **27**
Vincent Way. *Salt* —5C **8**
Vine Cres. *Plym* —2A **16**
Vine Gdns. *Plym* —2A **16**
Vinery La. *Plym & Plymp* —2E **28**
Vinstone Way. *Plym* —6G **9**
Violet Dri. *Plym* —6K **5**
Virginia Gdns. *Plym* —1J **15**
Voss Rd. *Salt* —2F **7**

Waddon Clo. *Plym* —1F **19**
Wadham Ter. *Plym* —3K **15**
Waggon Hill. *Plym* —4H **19**
Wain Pk. *Plym* —4G **19**
Wakefield Av. *Plym* —6H **9**
Wake St. *Plym* —5B **16** (1C **2**)
Walcot Clo. *Plym* —4K **11**
Waldon Clo. *Plym* —2J **19**
Walker Ter. *Plym* —1B **26** (7B **2**)
Walkham Bus. Pk. *Plym* —6A **10**
Walkhampton Wlk. *Plym* —6J **11**
Wallace Rd. *Plym* —4H **19**
Wallpark Clo. *Plymp* —1G **19**
Walnut Clo. *Plym* —3J **19**
Walnut Dri. *Plymp* —3K **19**
Walnut Gdns. *Plymp* —3K **19**
Walsingham Ct. *Plym* —2J **19**

Waltacre. *Yeal* —6C **30**
Walters Rd. *Plym* —5F **9**
Waltham Pl. *Plym* —7K **9**
Waltham Way. *Ivy* —4F **23**
Walton Cres. *Plym* —6B **10**
Wandle Pl. *Plym* —3J **17**
Wanstead Gro. *Plym* —4K **9**
Wantage Gdns. *Plym*
—6A **16** (3A **2**)
Warburton Gdns. *Plym* —6F **9**
Wardlow Clo. *Plym* —7E **10**
Wardlow Gdns. *Plym* —7E **10**
Wardour Wlk. *Plym* —7G **5**
(in two parts)
Ward Pl. *Plym* —3G **17**
Warfelton Cres. *Salt* —5B **8**
Warfelton Gdns. *Salt* —5B **8**
Warfelton Ter. *Salt* —5C **8**
Waring Rd. *Plym* —7C **4**
Warleigh Av. *Plym* —3H **15**
Warleigh Cres. *Plym* —2D **10**
Warleigh La. *Plym* —3H **15**
Warleigh Point Nature Reserve.
—1G **9**
Warleigh Rd. *Plym* —4D **16**
Warleigh Vs. *Salt* —5D **8**
(off Culver Rd.)
Warmwell Rd. *Plym* —3H **9**
Warraton Clo. *Salt* —4A **8**
Warraton Grn. *Salt* —4A **8**
(off Warraton La.)
Warraton La. *Salt* —4A **8**
Warraton Rd. *Salt* —4A **8**
Warren Clo. *Wem* —4B **32**
Warren La. *Lee I* —5K **21**
Warren La. *Wem* —4D **32**
Warren Pk. *Plym* —7J **5**
Warren St. *Plym* —4H **15**
Warton Clo. *Crown* —5C **10**
Warwick Av. *Plym* —3C **10**
Warwick Orchard Clo. *Plym*
—4A **10**
Wasdale Clo. *Plym* —5J **11**
Wasdale Gdns. *Plym* —5J **11**
Washbourne Clo. *Plym* —5H **15**
Waterloo Clo. *Stone* —6K **15**
Waterloo Ct. *Stone* —6K **15**
Waterloo St. *Plym* —5D **16** (2G **3**)
Waterloo St. *Stoke* —5J **15**
Waterloo Yd. Flats. *Stone* —6K **15**
Waterside Row. *Ivy* —4D **22**
(off Keaton Rd.)
Waterslade Dri. *Ivy* —4F **23**
Watery La. *Plym* —1C **4**
Watson Gdns. *Plym* —6E **16** (4J **3**)
Watson Pl. *Plym* —6F **17** (4K **3**)
Watts Pk. Rd. *Plym* —1B **16**
Watts Rd. *Plym* —6F **17** (3K **3**)
Waveney Gdns. *Plym* —4B **10**
Waverley Rd. *Plym* —5G **9**
Wavish Pk. *Tor* —5B **14**
Waycott Wlk. *Plym* —1B **10**
Wayside. *Ivy* —3D **22**
Wearde Rd. *Salt* —5A **8**
Weatherdon Dri. *Ivy* —3G **23**
Weir Clo. *Plym* —5A **12**
Weir Gdns. *Plym* —5A **12**
Weir Rd. *Plym* —4K **11**
Welbeck Av. *Plym* —5C **16** (1E **2**)
Welland Gdns. *Plym* —3H **17**
Wellfield Clo. *Plym* —3K **19**
Well Gdns. *Plym* —6B **16** (3C **2**)
Wellhay Clo. *Plym* —3D **28**
Wellington St. *Plym*
—5D **16** (2G **3**)
Wellington St. *Stoke* —5K **15**
Wellington St. *Tor* —5E **14**
Well Pk. Rd. *Tor* —5E **14**
Wellsbourne Pk. *Plym* —2F **17**
Wells Ct. *Mill* —5B **24**
Wellstones *Ivy* —4F **23**
Welman Rd. *Mill* —3C **24**

Welsford Av. *Plym* —3J **15**
Wembury Marine Cen. —4A **32**
Wembury Mdw. *Wem* —3C **32**
Wembury Pk. Rd. *Plym* —2C **16**
Wembury Rd. *Plym & Wem*
　　　　　　　　　　—5B **28**
Wenlock Gdns. *Plym* —7A **10**
Wensum Clo. *Plym* —4H **19**
Wentwood Gdns. *Plym* —4K **11**
Wentwood Pl. *Plym* —4K **11**
Wentworth Pl. *Plym* —6G **17**
Wentworth Way. *Salt* —5K **7**
Wesley Av. *Plym* —3D **16**
Wesley Ct. Tor —5F **15**
　(off King St.)
Wesley Pl. *Mut* —3D **16**
Wesley Pl. *Stoke* —4K **15**
Wesley Rd. *Salt* —5C **8**
Westbourne Rd. *Plym* —3C **16**
Westbourne Ter. *Salt* —4C **8**
Westbury Clo. *Whit* —3A **10**
Westcombe Cres. *Plym* —4J **27**
Westcott Clo. *Plym* —7F **11**
W. Country Clo. *Plym* —1J **15**
Westcroft Rd. *Plym* —6G **9**
W. Down Rd. *Plym* —2A **16**
W. End Ter. *Mill* —5B **24**
Westeria Ter. *Plym* —1B **16**
Western App. *Plym* —6B **16** (4C **2**)
Western College Rd. *Plym* —3E **16**
Western Dri. *Plym* —4G **17**
Western Rd. *Ivy* —4D **22**
Western Wood Way. *Plymp*
　　　　　　　　　　—3A **20**
Westfield. *Plym* —2G **19**
Westfield Av. *Plym* —3H **27**
Westhampnett Pl. *Plym* —2J **9**
Westhays Clo. *Plym* —5A **28**
W. Hill Rd. *Plym* —4E **16** (1J **3**)
W. Hoe Rd. *Plym* —7B **16** (6B **2**)
Westlake Clo. *Tor* —5C **14**
West La. *Ldrke* —1A **6**
W. Malling Av. *Plym* —2H **9**
Westmoor Clo. *Plym* —2K **19**
Weston Mill Dri. *Plym* —1H **15**
Weston Mill Hill. *Plym* —6H **9**
Weston Mill La. *Plym* —6K **9**
Weston Mill Rd. *Plym* —6H **9**
Weston Pk. Rd. *Plym* —1C **16**
Westover Clo. *Ivy* —3C **22**
Westover Ind. Est. *Ivy* —4C **22**
West Pk. Dri. *Plym* —3K **19**
West Pk. Hill. *Plymp* —1H **19**
West St. *Mill* —4B **24**
Westway. *Plym* —4G **27**
Westwood Av. *Plym* —1H **11**
Wheatridge. *Plym* —1C **18**
Whimple St. *Plym* —7D **16** (5E **2**)
Whin Bank Rd. *Plym* —5C **10**
Whitby Cres. *Plym* —6F **11**

Whitby Rd. *Plym* —6F **11**
Whitefield Ter. *Plym*
　　　　　　　　—5E **16** (2H **3**)
Whiteford Rd. *Plym* —2D **16**
Whiteford Rd. La. S. *Plym* —3D **16**
White Friars La. *St Jud*
　　　　　　　　—6E **16** (4H **3**)
Whitehall Dri. *Plym* —2C **28**
White La. *Plym* —6F **3**
Whitleigh Av. *Plym* —5D **10**
Whitleigh Cotts. Plym —5D 10
　(off Whitleigh Av.)
Whitleigh Grn. *Plym* —3B **10**
Whitleigh Vs. *Plym* —5D **10**
Whitleigh Way. *Plym* —4B **10**
　(in two parts)
Whitleigh Wood Nature Reserve.
　　　　　　　　　　—2C **10**
Whitsoncross La. *Tam F* —7B **4**
Whittington St. *Plym*
　　　　　　　　—5A **16** (1A **2**)
Widdicombe Dri. *Ivy* —4E **22**
Widewell La. *Plym* —7H **5**
Widewell Rd. *Plym* —1G **11**
Widey Ct. *Plym* —6E **10**
Widey Hill. *New F* —5J **33**
Widey La. *Plym* —6E **10**
Widey Vw. *Plym* —1E **16**
Wilcove La. *Wil* —3B **14**
Wilderness Rd. *Plym* —3D **16**
Wilkinson Rd. *Plym* —7F **9**
Williams Av. *Plym* —7G **17**
Willow Clo. *Plym* —3K **17**
Willow Cotts. *Plym* —3E **18**
Willow Ct. *Plym* —1K **17**
Willow Grn. *Salt* —5A **8**
Willow Wlk. *Plym* —2J **11**
Wills Clo. *Plym* —7D **4**
Wilmot Gdns. *Plym* —5C **10**
Wilson Cres. *Plym* —3A **16**
Wilton Rd. *Plym* —5K **15**
Wilton St. *Plym* —5A **16** (2A **2**)
Winchester Gdns. *Plym* —2K **9**
Windermere Cres. *Plym* —3E **10**
Windmill Hill. *Salt* —5B **8**
Windsor Clo. *Ivy* —4F **23**
Windsor La. *Salt* —5B **8**
Windsor Pl. *Plym* —7C **16** (6D **2**)
Windsor Rd. *Plym* —2G **17**
Windsor Ter. *Tor* —5F **15**
Windsor Vs. *Plym* —6D **2**
Wingfield Rd. *Plym* —5K **15** (1A **2**)
Wingfield Way. *Plym* —5A **16**
Winifred Baker Ct. *Plym* —2F **3**
Winnicott Clo. *Plym* —7D **4**
Winnow Clo. *Plym* —5A **28**
Winsbury Ct. *Plym* —6F **11**
Winstanley Wlk. *Plym* —2J **17**
Winston Av. *Plym* —5C **16** (1E **2**)
Winstone Clo. *Brix* —4J **29**

Witham Gdns. *Plym* —3H **17**
Woburn Ter. *Plym* —2H **27**
Wollaton Gro. *Plym* —4J **9**
Wolrige Av. *Plym* —3H **19**
Wolrige Way. *Plym* —3H **19**
Wolsdon Pl. *Plym* —3A **2**
Wolsdon St. *Plym* —6A **16** (3A **2**)
Wolseley Clo. *Plym* —3K **15**
Wolseley Rd. *Cam H* —1H **15**
Wolseley Rd. *Plym* —5E **8**
Wolseley Rd. Flats. *Plym* —2J **15**
Wolverwood Clo. *Plym* —5K **19**
Wolverwood La. *Plym* —5G **19**
Wombwell Cres. *Plym* —1H **15**
Wood Acre. *Latch* —3J **7**
Woodburn Clo. *Ivy* —3C **22**
Woodbury Gdns. *Plym* —4K **9**
Wood Clo. *Latch* —4J **7**
Woodcock Clo. *Mill* —3D **24**
Woodend Rd. *Plym* —7J **5**
Woodfield Cres. *Ivy* —4F **23**
Woodford Av. *Plym* —2B **18**
Woodford Clo. *Plym* —1B **18**
Woodford Cres. *Plym* —2B **18**
Woodford Grn. *Plym* —2C **18**
Woodford Rd. *Plym* —1J **11**
Woodhey Rd. *Plym* —1K **15**
Woodland. *Lee I* —3A **22**
Woodland Av. *Plym* —1B **28**
Woodland Clo. *Ivy* —3C **22**
Woodland Dri. *Plym* —4C **18**
Woodland Rd. *Ivy & Wood*
　　　　　　　　　　—3B **22**
Woodland Rd. *Plym* —2D **18**
Woodlands. *Plym* —3A **28**
Woodlands Ct. *Plym* —4K **9**
Woodlands End. *Plym* —2J **11**
Woodlands La. *Plym* —6A **12**
Woodland Ter. *Plym* —4C **22**
Woodland Ter. *Plym*
　　　　　　　　—5E **16** (2H **3**)
Woodland Way. *Tor* —5C **14**
Wood La. *Ldrke* —3C **6**
Wood Pk. *Ivy* —2E **22**
Wood Pk. *Plym* —4B **12**
Woodside. *Plym* —5E **16** (2J **3**)
Woodside Av. *Plym* —3H **27**
Woodside Clo. *Ivy* —4E **22**
Woodside Ct. *Plymp* —4F **19**
Woodside La. *Plym* —5E **16** (2J **3**)
Woodstock Gdns. *Plym* —6G **9**
Woodview Pk. *Plym* —3B **28**
Woodville Clo. *Plym* —1J **15**
Woodville Rd. *Plym* —2J **15**
Woodway. *Plym* —2B **28**
Woolcombe La. *Ivy* —4E **22**
Woollcombe Av. *Plym* —4G **19**
Woolms Mdw. *Ivy* —4B **22**
Woolster Ct. *Plym* —5F **3**
Woolwell Cres. *Plym* —6H **5**

Woolwell Dri. *Plym* —7H **5**
Woolwell Rd. *Plym* —7H **5**
Wordsworth Cres. *Plym* —1J **15**
Wordsworth Rd. *Plym* —1J **15**
Worthele Clo. *Ivy* —3B **22**
Wrangaton Rd. *Bitt* —1K **23**
Wren Gdns. *Plym* —2D **18**
Wrens Ga. *Plym* —1K **27**
Wright Clo. *Plym* —5H **15**
Wrights La. *New F* —5G **33**
Wycliffe Rd. *Plym* —4G **17**
Wye Gdns. *Plym* —1J **17**
Wykeham Dri. *Plym* —1J **15**
Wyndham La. *Plym* —6A **16** (3A **2**)
Wyndham M. *Plym* —3A **2**
Wyndham Pl. *Plym* —3A **2**
Wyndham Sq. *Plym*
　　　　　　　　—6A **16** (3A **2**)
Wyndham St. E. *Plym*
　　　　　　　　—6B **16** (3B **2**)
Wyndham St. W. *Plym*
　　　　　　　　—6A **16** (3A **2**)
Wyoming Clo. *Plym* —2H **17**
Wythburn Gdns. *Plym* —4J **11**

Yarda Wlk. *Brix* —5H **29**
Yardley Gdns. *Plym* —4K **11**
Yarrow Mead. *Plym* —2E **28**
Yealmbury Hill. *Yeal* —5C **30**
Yealmbury Vs. *Yeal* —5C **30**
Yealm Pk. *Yeal* —5B **30**
Yealmpstone Clo. *Plym* —4H **19**
Yealmpstone Dri. *Plym* —4J **19**
Yealm Rd. *New F* —5F **33**
Yealm Vw. Rd. *New F* —6H **33**
Yeats Clo. *Plym* —5B **10**
Yellow Tor Ct. *Lwr B* —5K **7**
Yellow Tor Rd. *Lwr B* —4J **7**
Yelverton Clo. *Plym* —4H **9**
Yeo Clo. *Plym* —3H **17**
Yeolland La. *Ivy* —3E **22**
Yeolland Pk. *Ivy* —3E **22**
Yeomans Way. *Plym* —4H **19**
Yeo Pk. *Yeal* —4E **30**
Yewdale Gdns. *Plym* —5J **11**
Yonder St. *Plym* —3G **27**
York Pl. *Plym* —4J **15**
York Rd. *Plym* —7H **9**
York Rd. *Tor* —5E **14**
York St. *Plym* —6H **15**
York Ter. *Plym* —3J **15**

Zeth Hill La. *Wood* —1A **22**
Zion Pl. *Ivy* —3D **22**
Zion St. *Plym* —7C **16** (6E **2**)